SAINT-ETIENNE

de l'ombre à la lumière
aus schatten ins licht
from shadow to light

Traduction ALLEMANDE André et Maria ROYON

Traduction ANGLAISE Benedicte KLEIN

Editions Xavier Lejeune 1988 n° ISBN 2.907608.00.2

Texte
François Bouchut

Photographies
Gil Lebois

SAINT-ETIENNE

de l'ombre à la lumière
aus schatten ins licht
from shadow to light

Editions Xavier Lejeune - LYON

Editions Xavier Lejeune - 157 rue de St-Cyr - 69009 LYON

Imprimerie INTERGRAPHIE - SAINT-ETIENNE

SAINT-ETIENNE : LA VILLE DE TOUTES LES VILLES

Saint-Etienne est-elle une ville ? Oui et c'est même la ville de toutes les villes. Elle est du Nord car elle pratique au quotidien la solidarité des terres dures. Le passé minier a ses héritages. Ici, les terrils s'appelaient crassiers, mais, à leurs pieds, on savait aussi se connaître, s'écouter et s'aider. Ici, les corons avaient noms de cités mais l'amitié s'y réchauffait autour des mêmes feux. Du Nord, car parfois, l'hiver y prend de longues rigueurs. Du Nord encore, avec cet amour patient du travail bien fait.

Mais Saint-Etienne participe aussi du Centre par les influences qui s'y croisent. Les vents de l'Auvergne qui finit y rencontrent ceux de la Provence qui va commencer. Les vieilles et colorées expressions stéphanoises illustrent bien ce carrefour d'entre les langues d'oil et d'oc. La ville est du Sud dès qu'il s'agit de s'enthousiasmer. Elle a des accents de passion quand, toute vêtue de vert, elle envahit le stade Geoffroy-Guichard pour entourer ses footballeurs. Elle a des élans spontanés et bruyants quand une fête s'installe dans ses rues. Des rues qui sont aussi de toutes les villes. Image anglo-saxonne lorsque le tramway glisse au long d'une artère sans fin. Photographie méditerrannéene quand les ruelles grimpent en coquilles d'escargots à l'assaut d'une des collines qui se perchent à proximité du cœur urbain.

Ville de la montagne avec, pour voisin, le Massif du Pilat où la burle déshabille le genêt enneigé et fait danser les branches des sapins. Ville de la Plaine, avec les grandes étendues foréziennes éclairées d'étangs et voilées par les brumes du matin.

Ville de l'innovation, ville de la création. Cité d'hier et cité d'aujourd'hui pour demain. Ville à la ville avec ses 210 000 habitants, ville à la campagne avec la nature à ses portes. Métropole avec son université, ses grandes écoles, son Musée d'Art Contemporain, son Centre Dramatique National, sa Maison de la Culture et de la Communication, ses équipements sportifs, ses axes routiers, son aéroport, ses industries, son pôle productique.

Mais l'expansion n'a pas dévoré l'âme et Saint-Etienne sait toujours être proche, chaleureuse, prête à accueillir. Elle tend la main sans retenue. Elle est humaine. Elle est courageuse. Elle a su lutter, vaincre les ombres et garder ses lumières.

Un dicton vieux comme le temps affirme que Saint-Etienne fait pleurer deux fois. Quand on y arrive et quand il faut en partir. Oui, quand on y arrive, car elle traîne encore quelques images d'hier et puis, elle a ses secrets, elle ne donne pas ses clefs tout de suite et ne se livre pas au premier regard. Il faut la connaître, apprendre à l'aimer, la mériter, comprendre et apprécier les chemins parcourus pour ôter les habits sombres et se parer des couleurs du présent. On pleure aussi, et même plus fort quand on doit la quitter. Car, très vite, on y a trouvé des raisons d'y être heureux grâce à une qualité de vie naturelle, grâce à des équilibres préservés, grâce aux amitiés cordialement liées.

Longtemps, Saint-Etienne a souffert de sa situation géographique. Elle est sortie de son enclavement. Un réseau autoroutier complet, le T.G.V. et la Caravelle ont effacé les distances et voilà Saint-Etienne proche de tout. Les pistes de ski des Alpes à deux heures, la mer à trois, Paris aussi. Le handicap est devenu avantage et l'on découvre les vertus d'une position centrale.

UN PASSÉ PROCHE

On a beau fouiller les archives, on ne trouve guère de documents suffisamment authentiques pour éclairer l'histoire de Saint-Etienne pendant les premiers siècles. Il faut arriver au XIIeme siècle pour dénicher les traces d'une existence réelle. Et encore. Un document daté de 1195 fait état de "Sanctus Stéphanus de Furano". Il ne s'agissait que d'une seule église pointue et plantée sur les bords d'une rivière claire.
Elle donne et apporte une sécurité protrectrice autour de laquelle vont se grouper et se lover quelques demeures sommaires. Un village naît. Il va allumer ses premières richesses en exploitant le charbon.
En fait, à partir de là, l'histoire de Saint-Etienne va être celle d'un développement industriel saccadé, parfois lent, parfois rapide. Ce développement se fera essentiellement à travers six grands secteurs : le charbon, l'acier, les armes, le cycle, la rubannerie, la quincaillerie. Le XIXeme siècle verra une formidable explosion de ces activités.
La ville se transforme en une gigantesque usine qui aimante des populations nouvelles. 26 000 habitants en 1806, 56 000 en 1836, 110 000 en 1872, 147 000 en 1901. Usine, Saint-Etienne prend aussi, à cette période far-west, le visage d'un vaste chantier. Des routes s'ouvrent, des immeubles poussent comme des champignons sous la pluie des automnes, des édifices publics sortent de terre et, en 1855, la Préfecture de la Loire s'établit ici.

Le charbon - Son exploitation a constitué un des piliers de l'économie stéphanoise. Or noir, le minerai a assuré l'expansion. Après une exploitation anarchique des couches affleurant la surface, l'extraction se fit en profondeur et de manière plus organisée et rationnelle. Cela se traduisit évidemment par des progressions spectaculaires dans la production : 12 500 tonnes en 1710, 850 000 en 1847. On a compté jusqu'à 144 puits sur le sol stéphanois. En 1964, 24 seulement demeuraient en activité et, depuis cette date, a commencé une lente et impitoyable

chute des résultats. Aujourd'hui, la mine fait silence. Reste un écho. Elle a marqué les paysages et les cœurs. Le grisou meurtrier a trempé les mentalités. Comme la femme du pêcheur, celle du mineur attendait, sous l'angoisse du foyer vide, l'heure du retour. Et quand survenait le drame, la douleur pesait car la terre, comme la mer des profondeurs sans pitié. Maintenant encore, sur les terrains de sport, on lance de sonores "à la mine" à celui qui traîne les pieds. Cela symbolise toute la dureté d'un métier disparu. 25 000 mineurs en 1946, 17 000 en 1952, 7 500 en 1967, 2 800 en 1973. Avec ces chiffres, on prend l'exacte mesure de la récession, des désarrois humains et des difficultés de reconversion.

L'acier - Second support de l'économie locale : la métallurgie. La première aciérie de la région fut créée en 1815 par un industriel anglais James Jackson. Elles allaient ensuite faire boule de feu, se multiplier et s'orienter vers les aciers spéciaux. La qualité des produits devait faciliter l'éclosion de multiples industries métallurgiques ou mécaniques. De grandes usines bien sûr : Revollier, la Compagnie des Fonderies Forges et Aciéries fondée par Barrouin, Bedel et, à côté, de très nombreux ateliers de dimensions réduites où, dans l'ombre, les compagnons rivalisent d'esprit inventif, d'astuce et de génie.

Les armes - Dès le XIIeme siècle, on fabriquait des hallebardes, des lances, des arbalètes. Et, en 1516, François 1er, informé de cette spécialité, choisit Saint-Etienne pour établir dans le royaume une fabrique d'armes à feu. Cette décision lui avait été dictée par l'ingénieur Georges Virgile qui, dans un rapport, soulignait : "L'excellence du combustible pour la forge et la bonté des eaux du Furan pour la trempe du fer...". Ce savoir-faire allait se perpétuer au fil des siècles. Avec parfois des résultats qui faisaient parler la poudre !
Ainsi, entre août 1794 et mai 1796, la Manufacture Stéphanoise livra 170 858 fusils, 13 219 paires de pistolets, 1977 sabres de hussards, 320 de chasseurs, 1608 de gendarmes, 280 d'artillerie et 6000 d'infanterie. De 1804 à 1814, 2000 ouvriers fabriquaient près de 72 000 armes par an. Le marché était largement ouvert.
295 000 armes en 1870, 538 500 en 1871. Vers les années 1890-91, la Manufacture, forte de ses 10 000 ouvriers sortait plus de 1500 fusils Lebel par jour. Arrive la guerre de 1914-18, elle relance l'économie et la ville devient un véritable arsenal. Les ouvriers sont mobilisés sur place et comme la main-d'œuvre masculine n'est pas suffisante, on la complète par l'apport des femmes et des réfugiés.
A côté de l'arme de guerre conçue à la M.A.S. (Manufacture Nationale d'Armes de Saint-Etienne), l'arme de chasse tape dans le mille de la cible. De grands noms résonnent : VERNEY-

CARRON, MANUFRANCE, et son fameux "Robust", GAUCHER. La France des chasseurs tire stéphanois. Et juste. C'est la prospérité. Comme celle issue de la houille elle aura son temps. La crise et les concurrences la frapperont au cœur. A coups d'ingéniosité et d'audace, quelques fabricants ont survécu et traversé les épreuves des nouvelles données de l'économie mondiale.

La rubannerie - Elle n'apparaît réellement que vers la fin du XVIeme siècle. Dans les archives, on relève en date de 1603, la création d'une confrérie de tissotiers. Très vite, cette industrie prit du galon. A l'aube de 1700, près de 10 000 métiers battaient sous les toits. Vers les années 1850, on compte 190 fabricants et, près de 25 000 personnes travaillent dans les ateliers. Là, comme ailleurs, les modes passent, les concurrences s'aiguisent, les prix font la guerre et Saint-Etienne ne gagne pas toujours. Une reconversion avisée s'est effectuée vers les étiquettes, les tissus élastiques, les fibres synthétiques. Mais, le ruban reprend du poil de la bête et son avenir, hier bien incertain, retrouve lentement mais sûrement des couleurs.

Le cycle - "Moi, je roulais sur une Hirondelle-Manufrance... et je ne roule plus !" - Le cycle qui tenait le haut de la zone économique a, lui aussi, reçu un sérieux coup de frein. Pourtant, au même titre que l'arme, le ruban ou le charbon, il a contribué à la renommée internationale de Saint-Etienne. Il a souffert pour se maintenir en selle, toutefois, il demeure présent et pas une des 1 200 000 bicyclettes mises en service chaque année en France ne pourrait avancer sans un certain nombre de pièces ou d'accessoires usinés dans la Loire. Les usines ici produisent aussi bien des vélos complets que des éléments de fabrication ou de montage : cadres, pédaliers...

La quincaillerie - On l'appelait autrefois "clinquaillerie". C'est une des plus vieilles sinon la plus ancienne des industries stéphanoises. Elle était faite de mille et un petits métiers : la coutellerie, la clouterie, la serrurerie, la taillanderie et la fabrication d'objets divers en fer ou en cuivre. A l'orée de l'an 2000, ces activités artisanales ont pratiquement disparu. Reste l'héritage du savoir-faire.

UNE TERRE D'INVENTEURS

Saint-Etienne est donc le berceau des armes blanches, de guerre et de chasse. J.B. BOUILLER inventa, en 1752, un fusil à canon unique capable de tirer vingt-quatre coups de suite sans être rechargé.
Après le métier à tisser né de l'imagination de Jacquard et qui donna l'essor à l'industrie du ruban, Boivin, en 1794, inventa le premier battant mécanique. Après la mise au point en 1823 de la chaudière tubulaire par Marc Seguin, Beaunier mit sur rails, en 1825, le premier chemin de fer Français. Galle, en 1829, inventa la chaîne sans fin à engrenage. Fourneyron créa la turbine hydraulique. Thimonnier en 1830, réalisa la première machine à coudre. En 1849, Marsais pensait à la fabrication des agglomérés permettant ainsi un nouveau débouché pour l'industrie du charbon. Imbert, en 1867, fabriqua la première chaudière sans rivet et la machine à produire le froid et la glace. Gauthier lança l'industrie du cycle. Buisson fut le père de la vapeur instantanée. A Saint-Victor-sur-Loire, pour la première fois au monde, le courant électrique fut transporté à distance et utilisé dans l'industrie. A Saint-Etienne, s'installa la première chocolaterie : Escoffier.
Et c'est encore ici que fut fabriqué le premier sous-marin : le Neptune.

DES NOMS CELEBRES

— **CLAUDE FAURIEL (1772-1884)** - Secrétaire particulier de FOUCHE au Ministère de la Police puis Professeur de langues et littératures de l'Europe méridionale à la Faculté des Lettres de Paris. Il a laissé de nombreux ouvrages : ''Chants populaires de la Grèce moderne'', ''Histoire de la poésie provençale''.

— **BENOIT FOURNEYRON (1802-1867)** - Ingénieur, il fit partie de la première promotion de l'Ecole des Mines fondée en 1816. On lui doit de nombreuses inventions notamment la roue à pression universelle, c'est-à-dire la turbine hydraulique.

— **FRANCIS GARNIER (1839-1873)** - Marin, explorateur, il découvrit la navigabilité du fleuve Songkoi entre le Tonkin et le Yunnam. Il a publié de nombreuses relations scientifiques de ses explorations.

JULES GARNIER (1839-1904) - Ingénieur qui découvrit les mines de Nickel de la Nouvelle-Calédonie.

JULES JANIN (1804-1874) - Journaliste au "Figaro", à "La Quotidienne", au "Messager", puis critique au "Journal des Débâts" pendant quarante ans. Ses œuvres : "Histoires de la littérature dramatique", "Barnove", "Contes Fantastiques", "Le Chemin de Traverse", "La Religieuse de Toulouse", "Béranger et son temps". Académicien.

— **JULES MASSENET (1842-1912)** - Compositeur, Grand Prix de Rome en 1863. Il eut une grande influence sur le public et les musiciens de sa génération. Ses ouvrages : Hérodiade, Manon, Werther, Thaïs, Sapho, le Jongleur de Notre-Dame, Don Quichotte.

Maintenant, le Saint-Etienne à venir ? De mutation en mutation, de conversion en conversion, un dessein se dessine en réalité économique autour d'un technopole déjà riche d'organismes ou d'entreprises groupés autour de la Maison de la Productique. Les technologies nouvelles font des pas en avant. Inventer, construire, fabriquer étaient les richesses d'hier. Inventer, construire, fabriquer, demeurent les atouts et les espoirs d'aujourd'hui pour demain.

SAINT-ETIENNE DIE STADT ALLER STADTE

Ist Saint-Etienne überhaupt eine Stadt ? Ja, es ist sogar die Stadt aller Städte. Eine Stadt des Nordens, denn die Solidarität des kargen Gegenden gehört hier zum täglichen Leben. Die Bergbauvergangenheit hat ihre Spuren hinterlassen. Hier hiessen die Abraumhalden ''crassiers'', aber zu ihren Füssen kannte man sich, hörte man sich zu und half man sich gegenseitig. Hier hiessen die Zechenhäuser ''cités'' (Siedlungen), aber die Freundschaft erwärmte sich an demselben Feuer. Eine Stadt des Nordens, denn manchmal ist der Winter hier sehr lang und rauh. Mit dem Norden hat sie diese geduldige Liebe zur gut verrichteten Arbeit gemeinsam.

Aber Saint-Etienne gehört auch zu Mittelfrankreich durch die Einflüsse, die sich hier kreuzen. Die Winde des auslaufenden Auvergne treffen hier auf die beginnende Provence. Die alten und farbigen Redensarten von Saint-Etienne zeugen von diesem Aufeinandertreffen des Nordfranzösischen (langue d'oil) und des Südfranzösischen (langue d'oc).

Es ist auch eine Stadt des Südens, wenn es um die Begeisterungsfähigkeit geht. Sie lässt die Leidenschaft zu Wort kommen, wenn das Geoffroy-Guichard-Stadion von grünen Scharen erobert wird, die ihre Fussballer anfeuern wollen. Sie macht spontan und lärmend mit, sobald auf ihren Strassen gefeiert wird. Strassen, die den Strassen aller Städte gleichen.

Angelsächsischer Eindruck, wenn die Strassenbahn die endlose Hauptstrasse entlanggleitet.

Ein Bild wie am Mittelmeer, wenn die Gassen in unmittelbarer Nähe der Stadtmitte sich an einem der Hügel hochschlängeln.

Eine Gebirgsstadt in der Nachbarschaft des Pilat-Massivs, wo die ''burle'' (Südwind), den Schnee wom verschneiten Ginster bläst und die Tannenzweige tanzen lässt. Stadt der Forez-Ebene, wo in einem weit ausladenden Tal hier und da Teiche aufleuchten, oder der Morgendunst die weiten Flächen verhüllt.

Eine erfinderische, schöpferische Stadt. Stadt von gestern und Stadt von heute für morgen. Eine städtische Stadt mit ihren 210 000 Einwohnern, eine ländliche Stadt mit der Natur direkt vor der Tür. Eine Metropole mit ihrer Universität, ihren Hochschulen, ihrem Museum für zeitgenössische Kunst, mit ihrem Nationalen Schauspielhaus, ihrem Haus der Kultur und der Kommunikation, ihren Sportanlagen und Verkehrsadern, ihrem Flughafen, ihren Industrien und ihrem Technologiepark.

Aber in dem wirtschaftlichen Aufschwung ist ihre Seele nicht untergegangen und Saint-Etienne bleibt wie eh und je menschennah, warmherzig und gastfreundlich. Rückhaltlos reicht es die Hand. Es ist menschlich, es ist mutig. Es hat zu kämpfen, Schatten zu besiegen und seine Lichter zu bewahren gewusst.

In einem uralten Sprichwort heisst es, dass Saint-Etienne zweimal weinen lässt. Bei der

Ankunft, beim Abschied. Ja, wenn man dort ankommt, denn ein paar Bilder von gestern haften ihm noch an, es tut dann auch geheimnisvoll, seine Schlüssel liefert es nicht sofort, es gibt sich nicht gleich beim ersten Blick preis. Man muss es kennen und liebenlernen, es verdienen, verstehen und die zurückgelegte Strecke schätzen, die nötig war, um das dunkle Gewand abzulegen und sich mit neuzeitlichen Farben zu schmücken. Geweint wird auch und sogar noch heftiger, wenn man es verlassen muss. Sehr schnell hat man nämlich Gründe gefunden, hier glücklich zu sein, wegen einer natürlichen Lebensqualität, eines erhaltenen Gleichgewichts, herzlicher Freundschaftsbande.
Lange war Saint-Etienne durch seine geographische Lage benachteiligt. Dann kam das Ende seiner Isolierung. Ein vollständiges Autobahnnetz, der TGV, das Mittelstreckenflugzeug die Caravelle, haben die Entfernungen überwunden und nun ist Saint-Etienne allem nahe. Die alpinen Skipisten sind in zwei Stunden zu erreichen, das Meer in drei, Paris auch. Der Nachteil ist Vorteil geworden. Man entdeckt die Vorzüge einer zentralen Lage.

EINE NAHE VERGANGENHEIT

Wie man auch in den Archiven sucht, man findet nur sehr wenige wirklich zuverlässige Urkunden, um die Geschichte von Saint-Etienne aufzuhellen. Erst im 12. jahrhundert lassen sich die Spuren einer Siedlung belegen. Auch das ist aber nicht ganz sicher. In einer Urkunde aus dem Jahr 1195 ist "Sanctus Stephanus de Furano" erwähnt. Es handelte sich nur um eine einzige spitze Kirche am Ufer eines kristallklaren Flusses.
Sie gewährt der Umgebung eine schützende Sicherheit und um sie herum werden ein paar einfache Häuser gebaut. Ein Dorf entsteht. Seine ersten Reichtümer verdankt es dem Steinkohlenabbau.
In der Tat, von da an verläuft die Geschichte der industriellen Entwicklung von Saint-Etienne unregelmässig, manchmal langsam, manchmal schnell. Diese Entwicklung vollzieht sich vor allen Dingen in sechs grossen Bereichen : Steinkohle, Stahl, Waffen, Fahrräder, Bandweberei, Eisenwaren, die im 19. Jahrhundert einen aussergewönlichen Aufschwung erleben.
Die Stadt wird zu einer riesigen Fabrik, die wie ein Magnet neue Arbeitskräfte anzieht. 1806 - 26000 Einwohner, 1836 - 56000, 1872 - 110000 und 1901 - 147000. In dieser Pionierzeit ähnelt Saint- Etienne einer riesigen Baustelle. Strassen werden angelegt, Wohnbauten

schiessen wie Pilze nach dem Herbstregen aus dem Boden, öffentliche Bauten werden errichtet. 1855 wird Saint-Etienne Präfektur des Departements Loire.

Die Kohle :
Ihr Abbau war eine der Grundlagen der örtlichen Wirtschaft. Das schwarze Gold hat den Aufschwung gesichert. Nachdem die oberflächlichen Schichten planlos abgebaut wurden, begann man auf besser organisierte und rationellere Weise unter Tage zu arbeiten. Selbstverständlich schnellte dadurch die Produktion in die Höhe : 1710 : 12500 Tonnen. 1847 : 850000 Tonnen. Zeitweise gab es bis zu 144 Bergschächte im Raum von Saint-Etienne. 1964 waren nur noch 24 in Betrieb, seitdem ging der Kohlenabbau langsam, unwiederruflich zurück. Heute stehen die Zechen still. Aber sie haben ihre Spuren hinterlassen. Sie haben die Landschaft und die Herzen nachhaltig geprägt, die möderischen Schlagwetter die Gemüter abgehärtet. Im beklemmend leeren Heim wartete die Frau des Kumpels wie die des Fischers auf die Stunde der Rückkehr. Wenn das Unglück geschah, lastete der Schmerz, denn wie das Meer hat die Erde mitleidlose Tiefen. Heute noch ruft man auf den Sportplätzen demjenigen, der sich nicht genügend ins Zeug legt, zu : "In die Grube". Dies symbolisiert die Härte eines Berufs, den es nicht mehr gibt. Es gab 1946 noch 25000 Bergarbeiter, 1952 : 17000, 1967 : 7500, 1973 : 2800. Bei diesen Zahlen wird man sich des genauen Ausmasses der Rezession, der menschlichen Not, der Umschulungsprobleme bewusst.

Der Stahl
Zweitwichtigste Grundlage der örtlichen Wirtschaft : Die Metallindustrie. Das erste Stahlwerk der Gegend gründete 1815 der englische Industrielle James Jackson. Weitere folgten, wurden immer zahlreicher, spezialisierten sich dann auf Stahllegierungen. Die Qualität der Erzeugnisse erleichterte die Entstehung einer weitgefächerten Metall - oder Maschinenindustrie. Grosse Fabriken selbstverständlich : Revollier, die von Barrouin Bedel gegründete Compagnie des Fonderies Forges et Aciéries und daneben zahlreiche kleinere Werkstätten, wo erfinderische, trickreiche, geniale Gesellen unbemerkt miteinander wetteiferten.

Die Waffen
Vom 12. Jahrhundert an wurden Hellebarden, Lanzen, Armbrüste hergestellt. Und 1516 wählte Franz 1., den man über diese besonderen Fertigkeiten unterrichtet hatte, Saint-Etienne zum Standort einer Fabrik für Feuerwaffen in seinem Reich. Dieser Entschluss ging auf einen

Vorschlag des Ingenieurs Georges Virgile zurück, der in einem Bericht "den ausgezeichneten Brennstoff zum Schmieden und die Güte des Furan-Wassers zum Eisenhärten..." unterstrichen hatte. Diese Fertigkeiten blieben durch die Jahrhunderte erhalten und führten manchmal zu Schiessereien !
So lieferte die "Manufacture Stéphanoise" zwischen August 1794 und Mai 1796 170 858 Gewehre, 13 219 Pistolenpaare, 1977 Husaren-, 320 Jäger-, 1608 Gendarmen-, 280 Artillerie- sowie 6000 Infanteriesäbel. Von 1804 bis 1814 stellten 2000 Arbeiter jährlich rund 72000 Waffen her. Die Absatzmöglichkeiten waren ausgezeichnet.
1870 : 295000 Waffen, 1871 : 538500. In den Jahren 1890 bis 1891 fertigten die 10000 Arbeiter starke Manufaktur täglich mehr als 1500 Lebel-Gewehre. Der Krieg 1914-1918 bescherte der Wirtschaft einen neuen Aufschwung, die Stadt wird zu einem richtigen Arsenal. Die Arbeiter werden an Ort und Stelle mobilgemacht und, da die männlichen Arbeitskräfte nicht ausreichen, vervollständigt man sie mit Frauen und Flüchtlingen. Neben der in der "Manufacture Nationale d'Armes de Saint-Etienne (MAS) entworfenen Kriegswaffe, trifft die Jagdwaffe ins Schwarze. Grosse Firmennamen klingen mit : VERNEY-CARRON, MANUFRANCE mit ihrem berühmten "Robust", GAUCHER. Das Frankreich der Jäger schiesst mit Waffen aus Saint-Etienne und trifft. Die Waffenindustrie erlebt ihre Blütezeit, die wie bei der Kohle auch einmal abklingt, von Krise und Konkurrenz schwer angeschlagen. Ein paar erfinderische und wagemutige Fabrikanten allerdings haben diese Zeit überstanden und sich den neuen Erfordernissen der Weltwirtschaft angepasst.

Die Bandweberei
Sie taucht wirklich erst gegen Ende des 16. Jahrhunderts auf. In den Archiven findet man unter dem Datum von 1603 die Gründung einer Kleinweberzunft. Schnell erlebt dieser Industriezweig einen Aufschwung. Kurz vor 1700 ratterten an die 10000 Webstühle unter den Dächern. Um 1850 zählt die Stadt 190 Fabrikanten und nahezu 25000 Personen arbeiten in den Werkstätten. Hier wie woanders vergeht die Mode, verschärft sich die Konkurrenz, brechen Preiskriege aus und Saint-Etienne geht nicht immer als Sieger hervor. Klugerweise hat sich die Produktion auf Etiketten, elastische Stoffe und Kunstfasern umgestellt. Die Bandweberei aber erholt sich und ihre Zukunft, die gestern sehr unsicher war, sieht heute gar nicht so düster aus.

Das Fahrrad
"Ich fuhr ein Hirondelle-Manufrance... ich fahre allerdings nicht mehr !" Die Fahrradindustrie, die einer der wichtigsten Wirtschaftszweige war, wurde ebenfalls stark gebremst. Sie trug

jedoch zusammen mit der Waffenindustrie, der Bandweberei und der Kohle zum weltweiten Ansehen von Saint-Etienne bei. Es kostete sie zwar viel Mühe, sich im Sattel zu halten, aber sie ist immer noch da und keines der 1200000 Fahrräder, die Jahr für Jahr in Frankreich vom Band laufen, könnte ohne einige im Departement Loire gefertigte Teile oder Zubehör von der Stelle kommen. Die hiesigen Fabriken stellen sowohl komplette Fahrräder als auch Einzelteile her : Rahmen, Tretlager...

Die Eisenwarenindustrie (quincaillerie)
Sie wurde früher "clinquaillerie" (etwa : Flitterkramindustrie) genannt. Es ist einer der ältesten Industriezweige von Saint-Etienne, wenn nicht der älteste. Zu ihr gehörten tausendundein Beruf : Schneidewaren- und Nagelherstellung, Schlosserei, Zeugschmiede und die Herstellung verschiedener Gegenstände aus Eisen oder Kupfer. Kurz vor dem Jahr 2000 sind diese Handwerke praktisch verschwunden. Ubrig bleibt nur das Erbe der Fertigkeit.

EIN LAND DER ERFINDER

Darum ist Saint-Etienne die Wiege der Hieb-, Kriegs- und Jagdwaffen. 1752 erfand J.B. BOUILLER ein einläufiges Gewehr, das ohne Nachladung 24 Schüsse nacheinander abfeuern konnte.
Zu dem vom Erfindungsgeist Jacquards stammenden Webstuhl, welcher der Bandweberei einen Aufschwung bescherte, kam 1794 die erste, von Boivin entworfene mechanische Weblade. Mit dem 1823 von Marc Seguin entwickelten Rohrkessel konnte Beaunier 1825 die erste französische Eisenbahn auf Schieden laufen lassen. 1829 erfand Galle die erste Getriebe-Kartenkette. Fourneyron schuf die Wasserturbine. 1830 entwickelte Thimonier die erste Nähmaschine. 1849 kam Marsais auf die Idee, Bricketts herzustellen und schuf damit einen neuen Absatzmarkt für die Kohlenindustrie. 1867 erstellte Imbert den ersten nietenlosen Kessel sowie die Kälte-und Eismaschine. Gauthier brachte die Fahrradindustrie in Schwung. Buisson war der Vater des Instantdampfs. Saint-Victor-sur-Loire erlebte eine Weltpremiere : zum ersten Mal wurde elektrischer Strom ferngeleitet und von der Industrie gebraucht. In Saint-Etienne liess sich die erste Schokoladenfabrik, die Firma Escoffier, nieder. Hier wurde auch das erste U-Boot gebaut : die "Neptun".

BERUHMTE NAMEN

— **CLAUDE FAURIEL (1772-1884)** - FOUCHEs Privatsekretär im Polizeiministerium, dann Professor für südeuropäische Sprachen und Literaturen an der Faculté des Lettres in Paris. Er hat uns zahlreiche Werke hinterlassen : "Neugriechische Volkslieder", "Geschichte der provençalischen Lyrik".
— **BENOIT FOURNEYRON (1802-1867)** - Ingenieur, gehörte zum ersten Jahrgang, der die 1816 gegründete Bergbauhochschule absolvierte. Wir verdanken ihm zahlreiche Erfindungen, u.a. das Vielzweckdruckrad, das heisst die Wasserturbine.
— **FRANCIS GARNIER (1839-1867)** - Seemann und Entdecker, entdeckte die Schiffbarkeit des Stroms Songkoi zwischen Tonkin und Yunnam. Er veröffentliche zahlreiche wissenschaftliche Berichte über seine Forschungsreisen.
— **JULES GARNIER (1839-1904)** - Ingenieur, der die Nickelvorkommen in Neukaledonien entdeckte.
— **JULES JANIN (1804-1874)** - 40 Jahre lang Journalist beim "Figaro", bei "La Quotidienne", beim "Messager", dann Kritiker beim "Journal des Débâts". Seine Werke heissen : "Geschichten der dramatischen Literatur", "Barnove", "Fantastische Erzählungen", "Seitenweg", "Die Nonne von Toulouse", "Béranger und seine Zeit". Er war Mitglied der Académie Française.
— **JULES MASSENET (1842-1912)** - Komponist, 1863 Träger des Grand Prix de Rome. Er übte einen grossen Einfluss auf Publikum und Musiker seiner Generation aus. Seine Werke : "Herodiade", "Manon", "Werther", "Thaïs", "Sapho", "Der Jongleur von Notre-Dame", "Don Quijote".

Was wird jetzt aus Saint-Etienne ? Nach vielen Umwandlungen und Umstrukturierungen wird ein Konzept zur wirtschaftlichen Wirklichkeit in einem "technopole" (Technologiepark), wo sich bereits zahlreiche Organismen und Firmen um das "Haus der Produktik" angesiedelt haben. Die neuen Technologien machen Fortschritte. Gestern galt es zu erfinden, zu bauen, herzustellen. Erfinden, bauen, herstellen sind nach wie vor die Trümpfe und Hoffnungen von heute für morgen.

SAINT-ETIENNE THE TOWN OF ALL TOWNS

Is Saint-Etienne a town ? Yes and even the town of all towns. It is a Northern town for it exercises daily the solidarity of hard lands. The mining past entails particular legacies. Here, coal tips were called "slag heaps", but, at the bottom of these, people would help each other by listening and talking with one another; mining villages had the names of cities, and friendship would warm up around the same hearths. It is a Northern town, for winter sometimes dwells there in long rigours ; it is also a Northern town because of the patient love for work that is properly done.

Saint-Etienne, however, also proceeds from the Center through its interbreeding influences. The winds from the ending Auvergne country cross those from Provence, which is about to begin. Of this crossroads between the "Oil" and "Oc" languages, the old and colourful Saint-Etienne idioms are a good illustration.

It is a Southern town when it comes about flaring up with enthusiasm. It rings with passion when, in all green-clad, it invades the Geoffroy-Guichard stadium to rally around its football-players. It swells into spontaneous and noisy surges when a votive fair settles in its streets... streets that are of all towns: you perceive an Anglo-Saxon picture when the streetcar slides along an endless main road, a Mediterranean picture with its alleys spiralling like snails up one of the hills that tower near the urban core.

Like a montaneous country town, it neighbours with the Pilat Massif where the "burle" winds strip the broom-plant off its snow-attire and swishes through the swirling fir-tree boughs. It is a town from the Plain country because of its vast stretches of the Forez area, lit up with ponds and blurred in the morning haze.

It is a town of innovation, a town of creation; it is a city of yesterday and a city of today paving the way for tomorrow. It is both a city-like town with its 210, 000 inhabitants and a country-side town with Nature outside the gates. It is a metropolis with its University, its prestigious "grande école" colleges, its Museum of Contemporary Art, its National Drama School, its Center for Culture and Communication, its sports facilities, its major thoroughways, its airport, its industrial concerns, its computer production center of attraction.

The urban sprawl left the soul unshattered, though, and Saint-Etienne remained hearty, warm and welcoming in attitude. It stretches out its hand without restraint; it is human in soul; it is brave in soul. It courageously stood up the fight, succeeding in defeating the shadows and keeping its lights.

"He who comes to Saint-Etienne weeps twice" a saying as old as Methuselah refers : once when you come into the town and again when you leave it. Yes, once when you come into the town, because it still clings to some images of yesterday and also, because it keeps its secret.

It does not leave its door wide open from the outset, it does not bare its heart when you cast a first glance. You have to be familiar with it and learn how to love it, deserve it, understand it, appreciate the distances you have covered, the aspects of the city, in order to take away its dark clothes and adorn it instead, with the colours of the present. You also weep, but with a much heavier heart, when you are made to leave Saint-Etienne because you have rapidly found here your reasons to live happily... certainly thanks to a natural quality of life, thanks to a preserved equilibrium, thanks to the bonds of friendship that were mutually formed.
For a very long time, Saint-Etienne has suffered from being geographically cut off. It broke away from its enclosure through a complete motorway network, the T.G.V train and the Caravelle airplane. Suddenly, Saint-Etienne was close to everything... only a two-hour ride to the ski slopes of the Alps and a three-hour ride to the sea, to Paris as well. The handicap reversed itself into an asset and the virtues of a central location shone forth.

A CLOSE PAST

However thoroughly you search through historical records, you will not find any documents that are genuine enough to shed light on the history of Saint-Etienne during the first century. It is only in the 12th century that you can trace its real existence, and yen. A document dated 1195 referred to "Sanctus Stephanus de Furano" and merely described a single pointed church, put up on the banks of a translucent river.
The church provided a protective aura of safety around which a few simple houses gathered and coiled. A village was soon born which was to light its first riches by exploiting coal. Indeed, from then on, the history of Saint-Etienne is one of a stop-and-go industrial development, sometimes slow, sometimes fast. This development mainly happened in six major sectors : coal, steel, the industries of arms, cycles and ribbons, and hardware. There will bean the extraordinary outburst of these acivities in the 19th century.
The town turned into a gigantic factory attracting new dimensions of population.
26,000 inhabitants in 1806, 56,000 in 1836, 110,000 in 1872, 147,000 in 1901. As a factory, Saint-Etienne also took the shape of a vast construction site in those Frontier-like days. Roads opened up, buildings mushroomed under the autumn rain, official buildings emerged and, in 1855, the Préfecture de la Loire, the County Hall, was settled.

COAL

The exploitation of coal accounted for one of the pillars of the local economy. As black gold, the ore secured the boom. After some chaotic exploitation of the outcropping layers, extraction

from the depths was performed in a more organised and rational manner, the obvious result of which was the spectacular increase in production: 12,500 tons in 1710, 850,000 in 1847. Up to 144 pits were recorded on the Saint-Etienne soil. In 1964 only 24 remained active and a slow ruthless fall in the figures has begun since then. The mine lies silent today, although an echo lingers on. It marked the landscape and the hearts. The lethal firedamp gas steeled minds. Like the fisherman's wife, the miner's, in the anguish of their empty home, expected the return time... and when tragedy would occur, grief would be great, because, just like the sea, the earth has pitiless depths. You can still hear, on sports grounds, sonorous "à la mine" - "down into the mine" - cries being shouted out to the one who balks at the job. This symbolises the whole toughness of a vanished profession. 25,000 miners in 1946, 17,000 in 1952, 7,500 in 1967, 2,800 in 1973...with these figures, one can fully perceive the extent of the recession, of human disarray and the difficulties of re-deployment.

STEEL

Second support of the local economy: the ironwork industry. The first steel-works in the region were set up in 1815 by an English industrialist, James Jackson. With a fire-ball effect, they multiplied and opted for special steelworks. The quality of these products was to facilitate the upsurge of various ironwork or mechanical industries... great factories, of course: Revollier, La Compagnie des Fonderies, Forges et Aciéries, founded by Barrouin, Bedel and, next to it, a swarm of small workshops where, in the shade, craftsmen emulated in inventiveness, cleverness and genius.

ARMS

As early as in the 12th century halberds, spears and crossbows were made here and King François I, who had been informed of the speciality, chose Saint-Etienne to set up a factory of fire-arms in his kingdom. This decision had been dictated to him by Claude Virgile who had emphasized in his report: "the excellence of the fuel for the ironwork and the adequacy of the Furano River waters for quenching an iron... "This know-how was to be carried on throughout centuries... sometimes with explosive outcome !

Thus, between August 1794 and May 1796, the "Manufacture Stéphanoise" delivered 170,858 guns, 13,219 pairs of pistols, 1,977 hussard sabres, 320 cavalryman guns, 1,608 horseman ones, 280 artillery and 6,000 infantry ones. From 1804 to 1814, 2,000 workmen produced about 72,000 arms a year. The market was fully open.

295,000 arms in 1870, 538,000 in 1871. Towards the years 1890-1891, the "Manufacture", manned by 10,000 workmen, would produce over 1,500 Lebel guns per day. With the outbreak

of World War I, the economy boosted and the town became a real arsenal. Workmen were mobilised on the spot and, as the male labour force was not sufficient, women and refugees became the necessary complement.
Next to the war weapon devised at the M.A.S. - "Manufacture nationale d'Armes de Saint-Etienne" -the hunting arm scored a bull's eye. Great names ring: VERNEY-CARRON, MANUFRANCE and its famous "Robust", GAUCHER. Any good hunting shot in FRANCE would have a rifle from Saint-Etienne. It was an era of prosperity... like the one born from the coal industry, it came to an end. Crisis and competition stabbed it in the heart. By dint of ingenuity and daring ideas, a few manufacturers survived and overcame the hardships of the new deal of world economy.

THE RIBBON INDUSTRY

It only looms up as such in the late 16th century. The year of grace 1603 is recorded as the year when the guild of the "tissotiers" was formed. The industry was to get its stripes in no time. At the turn of the 18th century, nearly 10,000 looms were flapping under the roofs. Towards the 1850s, it is reckoned that there were 190 manufacturers and 25,000 people weaving in workshops. There, like everywhere else, fashions passed away, competition sharpened, prices waged war and Saint-Etienne did not always emerge as the winner. A sensible move-over into labels, elastic materials and synthetic fibres was made. However, the ribbon craze catches on again and the future, though looming dark yesterday, is slowly but surely gaining its colour back.

THE CYCLE INDUSTRY

"I used to ride on an "Hirondelle-Manufrance"... and now I don't any more !" - The cycle industry which used to be at the top of the economic field had a serious brake put on it. Yet, in the same way as the arms, the ribbon or the coal industries, it contributed to the international fame of Saint-Etienne. The industry suffered to keep in the saddle, and remains active. None of the 1,200,000 bicycles marketed in FRANCE every year would work if it had not been for a certain number of parts and accessories manufactured in the Loire County. Factories here produce just as well complete bicycles as manufacturing and assembly parts: frames, pedal and gear mechanisms...

HARDWARE

As it clatters and clinks, it used to be called "clinquaillerie". The industry ranks among the oldest ones if not the oldest. It consists of a multitude of crafts: cutlery, nail, edge-tool-making, locksmithing and the making of various iron and copper items. At the dawn of the year 2000, these have all but died out although the legacy of the skill and know-how live on.

A LAND OF INVENTORS

Saint-Etienne is the birthplace of the blade, war and hunting weapons. J.B. BOUILLER invented in 1752 a single-barrelled gun that could shoot 24 bullets in a row without re-loading.
After the weaving loom born from the imagination of Jacquard which resulted in the booming of the ribbon industry, Boivin invented the first mechanical loom flap in 1794. After Marc Seguin had constructed the tubular boiler in 1823, Beaunier put on the rails the first French railroad in 1825. Galle, in 1829, invented the endless gearing chain. Fourneyron created the hydraulic turbine. Thimonier devised the first sewing-machine in 1830. In 1849, Marsais introduced the production of briquette, thereby allowing a new outlet for the coal industry. In 1867, Imbert made the first unrivetted boiler and the generator for cold and ice. Gauthier launched the cycle industry. Buisson fathered instant steam. In Saint-Victor-sur-Loire, for the first time in the world, electric current was carried from a distance and was used in an industrial field. The first chocolate factory was settled in Saint-Etienne: Escoffier, and the first submarine, S.S. Neptune, was also made in Saint-Etienne.

FAMOUS NAMES

— **CLAUDE FAURIEL (1772-1884)** The Private Secretary of FOUCHE at the Ministry of the Police Forces, then Professor in the Languages and Literature of Southern Europe at the College of Arts in Paris. We inherited his numerous works: "Chants populaires de la Grèce moderne", "Histoire de la poésie provençale".
BENOIT FOURNEYRON (1802-1867) An engineer, he counted among the first students to be admitted into the "Ecole des Mines" top-rank engineering college which was founded in 1816. We have him to thank for many inventions, notably the universal pressure wheel, namely the hydraulic turbine.
FRANCIS GARNIER (1839-1874) A seafarer, an explorer, he discovered the navigability of the Songkoi River berween the Tonkin and Yunnan regions. He published a great number of scientific accounts of his explorations.
JULES JANIN (1804-1874) A journalist for "Le Figaro", "La Quotidienne", "Le Messager", then a critic for "Le Journal des débats" for forty years. His works: "Histoires de la littérature

dramatique'', ''Barnove'', ''Contes Fantastiques'', ''Le Chemin de Traverse'', ''La Religieuse de Toulouse'', ''Béranger et son temps''. An Academician.
JULES MASSENET (1842-1912) A composer, first prizewinner of Rome in 1863. His influence was great on the public opinion and on the musicians of his generation. His works: Herodiade, Manon, Werther, Thaïs, Sapho, le Jongleur de Notre-Dame, Don Quichotte.

Now then, which Saint-Etienne is to come ? From mutation into mutation, from conversion into conversion, a design forms into an economic reality, around a technopolis which is already enriched with bodies and companies gathered around the Maison de la Productique. New technologies step forward. Inventing, building, manufacturing were yesterday's treasures. Inventing, building, manufacturing remain today's assets and hopes for tomorrow.

Pas vraiment tendre, Bernard LAVIL-LIERS. Ecoutez-le chanter "Je suis né dans la banlieue d'une banlieue. Ça s'appelle Saint-Etienne. C'est pas vraiment au bord de la mer. C'est pas vraiment fait pour l'amour non plus...". Allons, l'enfant-vedette du pays devrait revenir faire un petit tour du côté de sa terre natale. Histoire de rafraîchir le refrain et de repeindre le paysage. De derrière sa guitare, il verrait que la banlieue a pris de bonnes et chaudes couleurs. Sous les pavés, il ne trouverait certes pas la plage. Mais au soir qui vient, et sous le soleil prêt à périr, il sentirait sa ville s'embraser sous des teintes d'Italie. Elle prend alors des parfums de tendresse et des saveurs d'émotion.

Et on se donne le temps pour penser à l'amour et pour se perdre dans des horizons comme on le fait dans des yeux.

Et puis, derrière les façades de la dernière lumière, vivent des gens. Ils savent aimer leur ville, la défendre quand on la mord, et mordre quand on l'attaque. L'attachement au clocher demeure ici.

Nicht gerade zärtlich, der Bernard LAVILLIERS. Hören Sie, wie er singt : "Ich bin in dem Vorort eines Vororts geboren, und das heisst Saint-Etienne. Es liegt nicht gerade am Meer und eignet sich auch nicht gerade für die Liebe...". Der aus Saint-Etienne stammende Star sollte seine Heimat mal wieder besuchen, um den Refrain zu aktualisieren und sein Stadtbild aufzufrischen. Seine Gitarre zupfend würde er sehen, dass der Vorort schöne und warme Farben bekommen hat. Unter dem Pflaster würde er zwar keinen Strand finden. Aber wenn der Abend naht und der Sonnenuntergang bevorsteht, könnte er seine Heimatstadt in italienischen Farbtönen aufflammen sehen. Sie strahlt dann Zärtlichkeit und Wärme aus.

Und man nimmt sich Zeit, um an die Liebe zu denken und um sich in den Weiten zu verlieren, wie man sich in den Augen eines anderen verliert.

Und dann, hinter den von den letzten Sonnenstrahlen erleuchteten Fassaden leben Leute. Sie wissen ihre Stadt zu lieben, sie zu verteidigen, wenn sie gebissen wird und zurückzubeissen, wenn sie angegriffen wird. Das Heimatgefühl ist hier immer noch lebendig.

Not quite affectionate in his lyric Bernard LAVILLIERS sings: "I was bor in the suburb of a suburb. It is calle Saint-Etienne. It ain't quite on the sea side. It ain't cut out for love either... Come on, the local child star ought pay his native soil a short visit, just f him to brighten up his refrain ar repaint the scenery. With a view fro his guitar, he would see that the subur took good warm colours. Indeed, h would not find the shore underneath th cobblestone, but, in the evening th closes in, in the perishing sunlight, h would feel his home town inflame wi Italian colours. Its scents turn tende and its flavours, stirring...

...and you give yourself time to think love and to plunge into beautiful view as you do into beautiful eyes...

...and besides, people do live behir these facade walls lit by the last ra They have their own way of loving the town, of standing up for it by drawin out their claws against those wh clawed it. The jingoïstic attachmer lives on.

Un soir au crépuscule

Abendstimmung

Twilight

Des pages blanches

Pas tendre non plus Albert CAMUS Ecoutez-le écrire dans ses cahiers de l'hiver 1942 "Saint-Etienne et sa banlieue un pareil spectacle est la condamnation de la civilisation qui l'a fait naître "
Heureusement, et c est BAUDELAIRE qui le signe "L'aspect d'une ville change plus vite que le coeur d'un mortel"
Et Saint-Etienne a changé. Les façades noircies ont reçu des coups d'éponges. La poussière a quitté les rues. La verdure se met à grimper aux pentes des deux crassiers pointus qui veillent, éteints, témoins du passé
La Ville ouvre des pages blanches Celle de l'Eglise Saint-Charles. Elle a été construite en 1840, a subi des fortunes diverses avant d'être reconstruite en 1912 sur des plans de l'architecte qui signa Fourvière, à Lyon. Elle devait avoir deux clochers, mais le budget ne le permit pas et au lieu des flèches élancées prévues, elle se contente d'une seule et robuste tour !
Lors de la dernière guerre, l'Eglise fut désaffectée et transformée en bureaux de ravitaillement. Elle retrouva sa vocation avant d'être baptisée cathédrale en 1971 quand Saint-Etienne devint diocèse. On la découvre, carrée, de l'escalier du Crêt de Roch, colline où a été construit un cimetière que l'on atteint par les rues du Repos et de l'Eternité. Ça ne s'invente pas !
Ce cimetière vient récemment d'entrer dans la littérature policière et sert de cadre à une intrigue mouvementée et montée par un romancier local.

Unbeschriebene Blätter

Albert Camus findet auch keine zärtlichen Worte für sie Hören Sie, was er in seinen Tagebüchern aus dem Winter 1942 schreibt "Saint-Etienne und seine Umgebung ein solcher Anblick verurteilt die Zivilisation die ihn hervorgebracht hat".
Glücklicherweise "verändert sich das Stadtbild schneller als das Herz eines Sterblichen", meint BEAUDELAIRE
Und Saint-Etienne hat sich verändert Das Schwarze wurde von den Fassaden weggewischt. Der Staub ist von den Strassen verschwunden. Das Grün fängt an, sich an den Hängen der spitzen Abraumhalden emporzuranken, die, obgleich erloschen, von der Vergangenheit zeugen und über sie wachen.
Die Stadt fängt ein neues Kapitel an. Das der Saint-Charles-Kirche. Sie wurde 1840 erbaut, erfuhr Gutes und Böses, bevor sie 1912 nach Entwürfen des Architekten, der die Lyoner Basilika errichtete, wiederaufgebaut wurde. Zwei Kirchtürme waren vorgesehen, was die Finanzen aber nicht zuliessen ; statt der zwei vorgesehenen Spitztürme begnügt sie sich mit einem einzigen stämmigen Turm !
Im zweiten Weltkrieg wurde sie zweckentfremdet und zu einer Versorgungsstelle umgewandelt. Sie fand ihre ursprüngliche Bestimmung wieder, noch bevor sie 1971 in der neugeschaffenen Diözese von Saint-Etienne zur Kathedrale geweiht wurde. Man entdeckt sie, viereckig, von den Stufen des Crêt de Roch aus, dem Hügel, wo ein Friedhof angelegt wurde, der über die Strasse der Ruhe und Strasse der Ewigkeit zu erreichen ist. Darauf musste man kommen !
Der Friedhof ist kürzlich in die Kriminalliteratur eingegangen und dient als Rahmen für eine ereignisreiche Intrige, die von einem hiesigen Krimiautor erfunden wurde.

Blank Pages

Not affectionate either in his notebook of the 1942 winter, Albert CAMUS wrote "Saint-Etienne and the outskirts: this very sight marks out for the condemning of the civilisation from which it was born"
Happily enough, in BAUDELAIRE's own words "The aspect of a town changes more quickly than the heart of a mortal soul "
Saint-Etienne has changed since then The blackened façades were given a good wipe Dust left the streets. A greensward climbs up to cover the slopes of the two pointed slag heaps which sit up as testimonies of the extinct past
The town opens on blank pages that of Saint Charles' Church, for instance. It was built in 1840, enjoyed varying fortunes before its re-building in 1912 on the plans of the architect of the Fourvière Basilica, in Lyon. It was to include two steeples but the budget curbed it all and now the church has to make do with one single robust tower instead of the two slender spires planned !
In the course of World War II, the church was closed down and converted into food stock offices. It found its vocation again and was ordained cathedral in 1971 when Saint-Etienne became a diocese. You find its square bulk from the Crêt de Roch stairs, the hill where a graveyard was built, which you may reach through the "Rue du Repos", Rest Street, and the "Rue de l'Eternité", Eternity Street, names you just cannot make up !
This graveyard has recently become part of the detective novel world since it serves as a setting for an eventful plot built up by a local novelist.

...boles
...pansion

...tion d'hier, celle de l'au... ...x oubliettes de la prose, du ...ance par deux enfants". ...e qui fait la prospérité de ...st qu'elle est entourée de ...lle. Ces mines lui donnent ...ant qu'elle en veut pour ...r ses machines... A ce ...ntrait à Saint-Etienne, et ... grandes rues bordées de ...ns, mais tout cela était ...umée des usines. La terre ...tait noire de charbon de ... le vent venait à souffler, il ... tourbillons de poussière

...ut du siècle. Les premiers ...iques frémissaient dans ... et plus particulièrement ...es rubanniers qui repro... ...étallurgistes et aux for... ...mer la cité.

...eminées pointent encore ...mboles aériens de l'expan... ...nt toujours de la fierté ...e dressent au-dessus de ...ent des toits de la ville ...is bien au-dessous des ...odernes des quartiers

Wachstumssybole

Hier noch eine Beschreibung von gestern, die eines in Vergessenheit geratenen Schriftstellers, Autors der "Tour de France von zwei Kindern". Lesen Sie nur : "Diese Stadt verdankt ihren Reichtum den vielen umliegenden Bergwerken. Diese Zechen liefern so viel Kohle, wie sie benötigt, um ihre Maschinen anzutreiben... Wenn man damals in der Stadt ankam, sah man lange, von schönen Häusern gesäumte Strassen, aber alles war durch den Rauch der Fabriken geschwärzt. Von der Steinkohle war die Erde selbst schwarz und der Wind wirbelte schwarzen Staub auf...

So sah es am Anfang des zwanzigsten Jahrhunderts aus. Die erste ökologische Unruhe in den Lungen, besonders in denen der Bandweber, die den Metallarbeitern und den Schmieden vorwarfen, die Stadt zu verräuchern.

Ein paar Schlote streben noch zum Himmel empor. Weithin sichtbare Symbole des Wachstums überragen sie noch stolz den Wirrwarr der Altstadtdächer, werden selbst aber von den modernen Wohnhäusern der neuen Stadtviertel überragt.

The symbols of the boo...

Here is another description fro... yesterday, that by the obliterated auth... of The Tour of France by two childre... reading-book; it reads: "What make... the town prosperous is that it is su... rounded by coalmines. These mine... provide the town with as much coal as... requires to run the machines... In thos... days, you would come into Sain... Etienne and you would see long stree... lined with beautiful houses, but all th... would be blackened by the smoke fro... the factories. The earth itself was bla... with coal, and when the wind wou... blow, black dust whirled around...

This dates back to the beginning of th... century. For the first time, ecologicall... minded lungs were astir, more spec... fically those of ribbon-makers wh... accused steel-workers and blacksmith... of poisoning the city with smoke.

A few chimney stacks still soar up int... the sky. The air symbols or the boo... they tower up with the same pride abov... the entanglement of the roofs in the o... town, but they are far below the moder... buildings of the new districts.

Les fantaisies du climat

Enfin, une phrase d'aujourd'hui. Avec celle de l'Académicien Stéphanois Jean GUITTON "Cette ville que j'ai connue noire, elle est toute blanche. Je n'entends plus battre les métiers, ni haleter les puits de mine"

Encore plus blanche quand arrive l'hiver. Parfois, il est profond, dur, s'enracine dans le froid ; parfois, il a de douces clémences. Saint-Etienne est une ville haute. Elle est posée à 500 mètres d'altitude. Le soleil y brille 2000 heures par an et, à un quart-d'heure du centre ville, le Parc du Pilat ouvre ses pistes de ski de fond dans un décor sauvage.

Jean GUITTON qui dit encore "Saint-Etienne participe à la fois du Nord et du Midi, mais plutôt du Midi que du Nord".

Mais il arrive que le Grand Nord s'impose. Le climat a ici des caprices imprévisibles. On se souvient d'un fameux jour de novembre du début des années 1980, où l'après-midi on prenait le café aux terrasses, et où, le soir, une avalanche de flocons noyait la ville, tombait en orage, paralysait la circulation. En quelques heures, près d'un mètre de neige épaisse, lourde, accrochée.

On se souvient de Noëls aux balcons et de 15 Août aux tisons. De Sibérie et de canicules. De vents fous et de soleils de plomb. La ville est aussi de tous les climats.

Wetterlaunen

Endlich einmal eine zeitgemässe Ausserung. Die des in Saint-Etienne geborenen Jean GUITTON, Mitglied des Académie Française. "Diese Stadt, die ich als schwarze Stadt erlebt habe, ist vollkommen weiss. Ich höre weder die Webstühle rattern noch die Räder der Fördertürme surren".

Noch weisser, wenn der Winter kommt. In manchen Jahren ist es ein tiefer, harter Winter, in dem die Kälte sich festsetzt, in anderen Jahren ist er mild. Saint-Etienne ist eine hochgelegene Stadt, 500 Meter über dem Meeresspiegel. Die Sonne scheint 2000 Stunden im Jahr und eine Viertelstunde vom Stadtzentrum bietet der Parc du Pilat seine Skiloipen in einer unberührten Umgebung.

Jean GUITTON meint auch, dass "Saint-Etienne zugleich zum Norden und zum Süden gehört, aber eher zum Süden als zum Norden".

Es kommt allerdings vor, dass der Hohe Norden sich durchsetzt. Das Klima hat hier seine unberechenbaren Launen. Man erinnert sich noch an jenen Novembertag, zu Anfang der achtziger Jahre, wo man nachmittags den Kaffee auf den Terrassen trank und abends ein Schneesturm über die Stadt herfiel, wobei heftige Schneeboen den Verkehr lahmlegten. In wenigen Stunden fiel ein Meter dicker, schwerer, pappiger Schnee.

Man erinnert sich noch an äusserst milde Weihnachtsfeste und an sehr Kühle Augusttage. An sibirische Temperaturen oder Hundstage. Heftige Winde und sengende Sonne. Vielfältig ist eben das Klima der Stadt.

A whimsical climate

Here is at last a quotation from the present time with the Saint-Etienne born Academician Jean GUITTON. "This town I used to know as black, is white all over. I do not hear the flaps of the looms or the gasps of the pits any more".

The town is even whiter when winter comes. It is sometimes deep-anchored, harsh and settles in the cold, sometimes it is softly clement. Saint-Etienne is a high town. It is put up at a height of 1 940 ft. The sun shines 2,000 hours a year and, at a quarter-of-an-hour distance from the town center, the "Parc du Pilat" opens its cross-country ski tracks in the wilderness.

Jean GUITTON also says: "Saint-Etienne proceeds both from the North and from the South, but rather more from the South than from the North".

What may happen, though, is that the far North lays down its law. The climate here is unpredictably whimsical. Everybody remembers this famous day of November in the early 1980s, when you would have had coffee on the terrasses of the cafés in the afternoon, while, in the evening, an avalanche of snowflakes flooded the town, fell heavily as in a storm, and froze traffic. In a matter of a few hours, some one yard of thick, heavy snow that clings on, had fallen over the town.

Everybody remembers warm Christmas periods spent outdoors, and freezing August days spent indoors before a blazing fireplace, Siberia and dog days, wild winds and a sunbaked town. The town is also of all climates.

Le langage des toits

On a souvent fait parler les fenêtres. Mais les toits savent également être bavards. Et ils ont beaucoup à dire. Ils sont en situation incomparable pour connaître les fantaisies du ciel stéphanois. Ils ont appris à faire le dos rond sous les tempêtes blanches comme sous les feux dorés du soleil. A affronter les pluies, les brumes et les clartés. Ils racontent et ils écoutent toutes les vies qui se traversent dans les foyers qu'ils coiffent en rouge. Ils ont vu des bonheurs et des tuiles, des chagrins, des joies.
Ceux-là, chapeaux d'un quartier calme et traditionnel, ont choisi de donner une recette de cuisine. Celle de la râpée stéphanoise dont les parfums ont bercé leurs charpentes.
La râpée ? Elle perpétue une tradition culinaire. Cette préparation simple, peu onéreuse, apporte sur les tables une note locale si appréciée que les restaurateurs l'inscrivent souvent sur leurs cartes. Pour composer ce plat d'accompagnement, il suffit d'une pomme de terre par personne, d'un oeuf, d'une pincée de sel, d'une autre de poivre et, au gré des goûts, on peut ajouter de l'ail, des herbes et de la crème fraîche. La pomme de terre est rapée à la rape à fromage. Dans un bol, on la mélange ensuite aux oeufs et autres ingrédients. Dans une poêle où fond un cube de beurre, elle cuira doucement sous un couvercle et ses deux faces seront dorées.
Les toits pourraient aussi vous apprendre à mijoter d'autres spécialités du cru

Was die Dächer alles erzählen

Die Fenster haben oft viel zu erzählen. Die Dächer aber sind ebenfalls gesprächig. Und sie haben viel zu sagen. Ihre Lage ist äusserst günstig, um die Launen des Himmels von Saint-Etienne zu erleben. Sie haben gelernt, über ihren breiten Buckel Schneestürme sowie sowie feurige Sonnenstrahlen ergehen zu lassen, es mit Regen, Nebel und Licht aufzunehmen. Sie lauschen und erzählen von den Existenzen, die sich in den rot gedeckten Heimen abspielen. Sie haben Glück und Pech, Kummer und Freunden gesehen.
Ein ruhiges, traditionsreiches Stadtviertel steht in der Obhut dieser Dächer, die uns ein Kochrezept geben möchten, die "râpée" (Kartoffelpuffer) von Saint-Etienne, deren Duft ihr Gebälk eingehüllt hat.
Die râpée ? Sie setzt eine kulinarische Tradition fort. Diese einfache, preiswerte Speise bringt auf die Tische ein Lokalkolorit und wird so geschätzt, dass die Gastwirte sie oft auf ihre Speisekarten setzen. Für diese Beilage braucht man nur eine Kartoffel pro Person, ein Ei, je eine Prise Salz und Pfeffer und je nach Geschmack konnen noch Knoblauch, Kräuter und Crême fraiche beigemengt werden. Die Kartoffel wird mit dem Reibeisen gerieben. In einer Schüssel wird sie dann mit den Eiern und den anderen Zutaten verrührt. In einer zugedeckten Pfanne, in der man einen Löffel Butter zerlassen hat, wird die râpée auf kleiner Flamme auf beiden Seiten goldgelb gebraten.
Die Dächer könnten Ihnen auch beibringen, wie man andere lokale

Windows were often asked to talk, roofs can be talkative, too: they have much to tell. Nothing matches them telling you about the whims of Saint-Etienne weather. They learnt h to arch their back under the wh snowstorms and under the gold sunrays beating down, how to br rain, mist and brightness. They tell eavesdrop all the lives that pass cross in the homes they red-cap. T witnessed happiness and mishaps, j and sorrows.
These roofs, covering like hats a q and traditional quarter, chose to gi recipe the "râpée stéphanoise", fragrance of which rocked their tim framework.
"Râpée "? It carries on a culin tradition with it. This simple prep ation, fairly unexpensive, lends a g table a local touch that restaurate appreciate so much as to include their bill of fare. To make up accompanying dish, you only need potato and an egg a head, a pinch of and one of pepper, and, following y taste, you may add garlic, arom herbs, and cream. The potato is "râp with a cheese grater and then mixed bowl with the eggs and the rest of ingredients. Poured into a frying pa which a lump of butter is melting, it slowly cook under lid and its two si with glaze.
Roofs might also teach you how simmer other local specialit "matefaim", a wheatcrèpe, "barbotc a potato and meat stew flavoured w

Rue Elise Gervais

Die Elise-Gervais-Strasse

Rue Elise Gervais

Les sept collines

Saint-Etienne aurait donc un point commun avec ROME. Celui d'avoir sept collines autour d'elle. De ces crêtes, on entend les bruits de la ville. Un ronronnement uniforme de cité vivante s'échappe des grands axes de circulation.
Mais le regard porté, va plus loin, et devine des quartiers.
Derrière la cathédrale Saint-Charles, celui de Jacquard. Il était le fief des tisseurs, des soyeux et des rubanniers.
Ici, une vie de province provinciale. Un marché plante plusieurs jours par semaine ses couleurs sur une place où se dresse la statue de Jean-Charles Marie JACQUARD. Un lyonnais de génie qui, en 1790, inventa le métier à tisser et bouleversa la fabrication du ruban à tel point que ses contemporains brisèrent ses machines, craignant d'être réduits au chômage. Haut lieu du ruban, Saint-Etienne lui devait bien un hommage. Ce monument l'apporte.
A quelques pas, un autre quartier paisible : Montaud.
Jusqu'en 1855, c'était un gros bourg indépendant qui regroupa jusqu'à 7000 habitants. Aujourd'hui il s'agrémente d'un vaste parc ombragé.
Saint-Etienne, ville noire, devenue blanche est aussi ville verte. Jardins et espaces de nature couvrent plus de 120 hectares.

Die Sieben Hugel

Saint-Etienne und Rom hätten also etwas gemeinsam. Beide Städte sind namlich von sieben Hugeln umgeben. Der Stadtrummel drangt bis zu den Bergkuppen hinauf. Das gleichmassige Dröhnen einer emsigen Stadt rührt von den Hauptverkehrsadern her.
Der Blick reicht allerdings weiter und nimmt Stadtteile wahr.
Hinter der Saint-Charles-Kathedrale, der Stadtteil Jacquard. Er war die Hochburg der Weber, der Seidenfabrikanten und Bandweber. Hier ein provinzielles Provinzleben. An mehreren Tagen in der Woche stellt ein Markt seine farbigen Stande zur Schau auf einem Platz, wo die Statue von Jean-Charles Marie JACQUARD steht. Ein genialer Lyoner, der 1790 den Webstuhl erfand und die Bandfabrikation dermassen revolutionierte, dass seine Zeitgenossen aus Angst vor Arbeitslosigkeit seine Maschinen zerschlugen. Die Stadt Saint-Etienne, Hochburg der Bandweberei, war ihm eine Ehre schuldig. Dieses Denkmal ist der Beweis dafur.
Ein paar Schritte weiter fuhren zu einem anderen ruhigen Stadtviertel: Montaud. Bis 1855 war es ein unabhangiges Städtchen mit bis zu 7000 Einwohnern. Ein grosser, schattiger Park ziert es heute. Aus der schwarzen Stadt Saint-Etienne ist eine weisse und sogar grune Stadt geworden. Gärten und Grünanlagen erstrecken sich über mehr als 120 Hektar.

The seven Hills

Thus, Saint-Etienne would have something in common with ROME: having seven hills around. From the ridges, you can hear the rumble of the town. The regular humming of a lively city escapes from the main roads.
However, your eyes overlook, gaze further away, and make out quarters.
Behind Saint-Charles Cathedral, the Jacquard quarter. It used to be the stronghold of weavers, silk manufacturers and of ribbon-makers. Here life is definitely provincial. A market displays there its colours several days a week on the marketplace where the statue of Jean-Charles Marie JACQUARD is erected. A Lyonnais of genius invented in 1790 the weaving loom, disrupting thereby the making-process of ribbon to such an extent that his contempararies broke up his machines for fear of lying idle. Mecca of the ribbon industry, Saint-Etienne owed him a tribute, this monument pays it.
At a stone's throw lies another peaceful quarter: Montaud.
Until 1855 it was a big independent village that brought together up to 7,000 inhabitants. Nowadays it is supplemented with a vast shadowy park. Saint-Etienne-the-black-town-which-turned-white is also a green town. Gardens and natural spaces cover over 300 acres.

Un parc pour l'Europe

A l'une des entrées Sud de la ville, l'autoroute fait pont. C'est l'axe LYON-LE PUY, la voie ouvre d'un côté sur la vallée du Rhône et de l'autre, file vers le Velay, l'Auvergne. Ce tracé essentiel au désenclavement a modifié totalement le visage de ce qui était un des lieux de promenade favori des stéphanois : le Rond Point. Un jardin, un bassin où les enfants d'hier faisaient flotter de petits bateaux, une guinguette où on tanguait le tango.
Les communications ont leurs exigences mais ici, la nature n'a pas été sacrifiée. Le minuscule jardin rond s'est déplacé légèrement et s'est agrandi pour devenir un parc. Celui de l'Europe. Avec dix hectares, il est le plus vaste de la commune.
Tout près, sur les premiers versants du Pilat, à près déjà de 600 mètres d'altitude, les quartiers neufs : la Métare, la Palle, la Marandinière. Des barres alignées, des tours hissées. Une vie qui a été longue à s'installer comme c'est toujours la règle dans les ensembles neufs. Pour nécessaires, les équipements ne font pas tout. Il faut créer une âme, une entité.
Et cela passe par la vie associative, par les pratiques sportives, par les rencontres culturelles.
A Saint-Etienne, la tradition de rencontrer les autres est forte, bien ancrée. Les associations se comptent par centaines.

Ein Park für Europa

An einer der südlichen Einfahrten führt die Autobahn über eine Talbrücke. Dies ist die Achse LYON-LE PUY ; in der einen Richtung geht es ins Rhônetal und in der anderen dem Velay und der Auvergne zu. Diese Trasse war unentbehrlich, um der Stadt aus ihrer Isolierung herauszuhelfen. Sie hat das Gesicht eines der beliebtesten Ausflugsorte grundlegend verändert : des Rond-Point. Ein Garten, ein Becken, wo die Kinder gestern noch ihre kleinen Schiffchen schwimmen liessen, ein Tanzlokal, wo man sich im Tangorhythmus schwang.
Der Verkehr hat seine Ansprüche aber hier wurde die Natur nicht geopfert. Der winzig kleine Garten wurde ein wenig verlegt und hat sich zu einem Park vergrössert, dem Europa-Park. Mit seinen zehn Hektar ist er der grösste der Stadt.
In unmittelbarer Nähe, an den ersten Hängen des Pilat, die neuen Stadtviertel : La Métare, la Palle, la Marandinière in 600 Meter Höhe. Lange, aneinandergereihte Wohnhäuser. Es dauerte lange, bis ein Zusammenleben zustande kam, wie es in den neuen Siedlungen die Regel ist. Die zwar notwendigen Gemeinschaftseinrichtungen genügen doch nicht. Eine Seele, eine Einheit müssen sich herausbilden.
Und das geht über das Vereinsleben, über Sport und Kulturveranstaltungen.
In Saint-Etienne ist die Tradition, andere Leute zu treffen, stark verankert. Die Vereine existieren zu Hunderten.

A park for Europe

On one of the accessways of the town on the Southern side, the highway spans a bridge. It is the LYON-LE PUY line; the way opens on one side on the Rhône Valley, and on the other, dashes towards the Velay country, the Auvergne. This layout, vital to defeat enclosure, changed altogether the aspect of what used to be one of the favourite spots for a stroll for the as regards the natives of Saint-Etienne: the Rond-Point, the roundabout, which consisted of a garden, a basin on which yesterday's children used to float little boats, an open-air dance hall in which tango used to be pitched and tossed and tangoed.
Communication has some specific requirements but here, nature was not sacrificed. The tiny round garden was slightly displaced and enlarged into a park: "Le Parc de l'Europe"; it is the biggest in town with its 25 acres.
Right next to it, on the first slopes of the Pilat, at an altitude of about 1,970 ft, you find the new quarters: "La Métare", "La Palle", "La Marandinière", bars of building lined up, towers hauled on top. Life was slow to settle as is usual in new building areas. A soul, an entity is needed.
This necessity was made up for through the founding of societies, sports and cultural meetings.
In Saint-Etienne the tradition of meeting your neighbours is strong and deep-rooted. The amount of societies is of the order of several hundreds.

Deux kilomètres de long, cinquante mètres de large, le Cours Fauriel, tracé entre 1856 et 1865, fut considéré comme une folie des urbanistes de l'époque. Par ses dimensions d'abord : par son coût (422 800 francs) ensuite.
Aujourd'hui, on le compare avec un brin de fierté, aux Champs-Elysées. C'est effectivement la plus belle avenue de la ville. Elle s'étire entre les arbres avant de pénétrer dans le centre. Des immeubles modernes et de qualité l'encadrent et en font une artère résidentielle recherchée. Au fil de ses allées latérales, deux établissements célèbres. Manufrance et l'Ecole des Mines.
Oui, c'est ici, qu'en 1894, Etienne Mimard posa la première pierre de la Manufacture Française d'Armes et de Cycles sur le site d'un ancien puits de mine. L'usine allait au fil des années se développer, s'agrandir et allonger ses ateliers, ses magasins, ses bureaux.
C'est ici, qu'en 1933, le Président de la République Albert LEBRUN, inaugura l'Ecole des Mines.

Zwei Kilometer lang, fünfzig Meter breit, der Fauriel-Korso, (Cours Fauriel) zwischen 1856 und 1865 angelegt, wurde als Wahnsinn der damaligen Stadtplaner betrachtet. Erstens wegen seiner Ausmasse, zweitens wegen der Baukosten (422 800 Francs).
Heute vergleicht man ihn mit einem Anflug von Stolz mit den Champs-Elysées. Es ist tatsächlich die schönste Avenue der Stadt. Sie zieht sich zwischen den Bäumen hin, bevor sie im Stadtzentrum anlangt. Moderne und erstklassige Wohnhäuser rahmen sie ein und machen aus ihr eine sehr geschätzte Residenzstrasse. Längst ihrer Seitenalleen zwei berühmte Institutionen : Manufrance und die Bergbauhochschule.
Ja, hier genau legte Etienne Mimard im Jahre 1894 den Grundstein für die Französische Waffen und Fahrradmanufaktur auf einem ehemaligen Zechengelände. Im Laufe der Jahre entwickelte, vergrösserte sich die Fabrik und dehnte ihre Werkstätten, Lager und Büros aus.
Hier auch weihte der Präsident der Republik, Albert LEBRUN, 1933 die Bergbauhochschule ein.

1 ¼ mile long and 55 yards wide, th Cours Fauriel, designed between 185 and 1865, was considered as wildl extravagant by the town planners c these days, in terms of dimensions firs and also in terms of expenditure 422,800 FF.
Nowadays, it is compared with a touc of pride, with the Champs Elysées. Th thing is, that it is the most beautifu avenue in the town, indeed. It stretche between trees before entering th centre. Flanked by modern and luxur blocks of flats, the avenue is a residen tial area in demand. Along the side drives, you find two famous establish ments: Manufrance and the Ecole de Mines.
Yes indeed, here Etienne Mimard did se the first stone of the "Manufactur Française d'Armes et de Cycles" on th site of an old shaft in 1894. With th passing years, the factory was t develop, expand and extend i workshops, warehouses and offices.
Here indeed President Albert LEBRU die inaugurate the prestigious top ran Ecole des Mines in 1933.

La rue sans fin

Bergson, Charles-de-Gaulle, Wilson, Général-Foy, Gambetta, Docteur Charcot, Onze Novembre... Elle en a des noms, cette rue qui n'en finit pas d'être plus droite qu'un I. Elle perce la ville du Nord au Sud et du Sud au Nord sur six kilomètres de parfaite rectitude. Ses noms successifs, on les oublie un peu pour ne l'appeler que la Grand'Rue. C'est vrai qu'elle est grande. Longue surtout. Véritable colonne vertébrale de la cité, elle irrigue des places et conduit par des voies perpendiculaires aux quartiers qui ont poussé de part et d'autre. Carrefour après carrefour, elle prend des visages divers. La voici, commerçante, bruyante, éclatante sous les néons. La voici, s'échappant du Centre, plus calme, prise entre de solides immeubles anciens. La voici, s'éclairant en traversant des quartiers jeunes et neufs. La voici s'assombrissant entre des maisons basses. Des tramways la sillonnent jour et nuit. Ils ont là le terrain idéal pour transporter chaque année des millions de voyageurs.

A l'heure où de nombreuses villes abandonnaient ce mode de transport qui semblait désuet, Saint-Etienne a, au contraire, régulièrement renforcé et modernisé tout le réseau.

Le tram fait partie du décor, du paysage. C'est le métro à ciel ouvert. Aux heures de pointe, on s'y presse. Au petit matin, on s'y rendort quelques minutes. On y rencontre les uns, les autres. On y parle, on y entend les petites conversations de tous les jours.

Le premier tramway, il était à vapeur, s'est mis sur les rails en 1881.

Die Endlose Strasse

Bergson, Charles-de-Gaulle, Wilson, Général-Foy, Gambetta, Docteur Charcot, Onze Novembre... So viele Namen trägt diese endlose Strasse, die schnurgerade verläuft. Sie zerteilt die Stadt von Norden nach Süden und bildet eine vollkommene, sechs Kilometer lange Gerade. Ihre abwechselnden Namen werden oft vergessen und man nennt sie einfach die Grosse Strasse. Tatsächlich ist sie gross. Vor allem lang. Das eigentliche Rückgrat der Stadt, sie verbindet Plätze und führt über die Querstrassen zu den Stadtvierteln, die auf beiden Seiten entstanden sind. An jeder Kreuzung nimmt sie ein anderes Gesicht an. Hier geschäftig, laut, vom Neonlicht durchflutet. Da entschlüpft sie dem Stadtzentrum, wird ruhiger, eingeschlossen zwischen soliden, alten Wohnhäusern. Da wird sie heller, wenn sie durch neue und junge Stadtviertel führt. Da verfinstert sie sich zwischen niedrigen Häusern. Strassenbahnen pendeln da Tag und Nacht. Das ist der ideale Ort, um jedes Jahr Millionen von Fahrgästen zu befördern.

In einer Zeit, wo zahlreiche Städte dieses Verkehrsmittel aufgaben, das veraltet schien, hat Saint-Etienne im Gegensatz zu ihnen das ganze Verkehrsnetz regelmässig ausgebaut und modernisiert.

Die Strassenbahn gehört zum Stadtbild, zur Landschaft. Das ist die U-Bahn unter freiem Himmel. In der Rush-hour drängt man sich da. Am frühen Morgen nickt man da wieder für ein paar Minuten ein. Man trifft dort die einen, die anderen. Da plaudert man und hört kleine, alltägliche Unterhaltungen.

Die erste Strassenbahn - mit Dampfantrieb - rollte 1881 auf den Schienen.

The endless street

Bergson, Charles-de-Gaulle, Wilson, Général-Foy, Gambetta, Docteur Charcot, Onze Novembre... How many names for a street that never ends, never stops stretching straight! It breaks through the town from North to South and from South to North, along four miles of absolute straightness. These successive names we tend to forget and end up calling it merely "La Grand'Rue", High Street. A high street it is indeed, for being so long mainly. As a real spine in the city, the street irrigates squares and drives you through perpendicular streets to the parts of town which built up alongside. Crossroads after crossroads, the street changes its face. Here it is busy shopping, noisy, radiant with names. Here, having escaped from the Centre, it is more quieter, caught in between sturdy old buildings. Here it is turning clearer through young new districts. Here it is darkening amidst low houses. Streetcars drive to and from around the clock. They found here the ideal ground to carry millions of commuters every year.

At a time when many a town has given up this means of transportation which seemed obsolete, Saint-Etienne took out the contrary option and kept intensifying and modernising the whole network.

The "tram" is part of the setting, part of the scenery. It is like an open-air tube. At rush hours, people squeeze against one another to get on. There, people may doze for a few minutes early in the morning; there, people meet; there, people talk; there, you may hear everyday chats and gossips.

The first streetcar had a steam engine; it was put on rails in 1881.

COMPTOIR
les soldes
les soldes

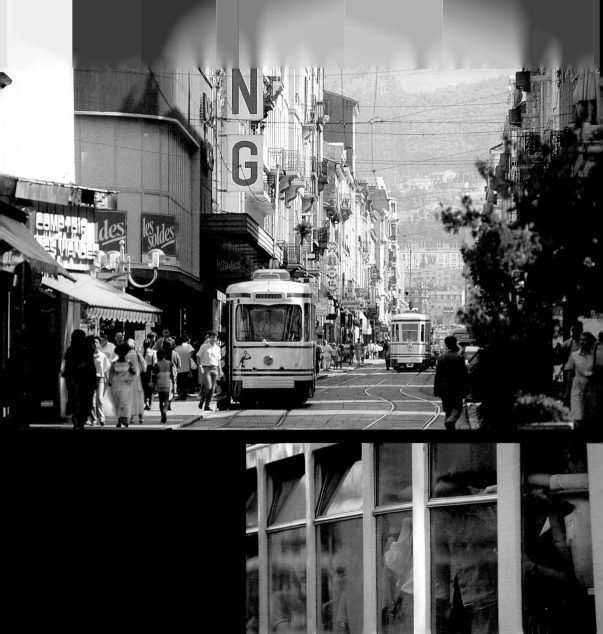

que le tram s'arrête. A Marengo
alors qu'il faudrait dire Place
aurès, puisque le nom du socia-
Castres a depuis plus de qua-
ns, remplacé celui de la bataille.
dins l'habillent, des arbres la
nt, une fontaine y chante, des
y dorment.
rnée, elle est le paradis des
et des flâneurs. Les premiers
engouffrent les gaufres que pro-
des marchands. Les seconds
lent sur un banc, des chaises, et
uffent aux rayons du soleil,
t des journaux, bavardent. Tout
de ici se croise car c'est l'extrême
rbain.
ur qui battra encore plus aux
vous de la nuit. Elle commence
séance de cinéma ou un dîner
des nombreux restaurants, se
t dans les cafés, se termine dans
othèques qui font la chaîne dans
proches. Voilà le point de départ
olce Vita.
nt-Etienne by night. Celui de la
des sorties, mais aussi celui du
avec l'immeuble à la façade
ée, qui abrite la rédaction des
ens stéphanois.
sse, c'est un peu l'étoile d'une
le s'allume quand les foyers
nent. Lorsque, tard, le point final
aux articles, la bière pression
, le croque-monsieur craque
es dents et les conversations
ssent les bistrots.
nuit avec ses rêves, ses mondes
ses peurs, ses résolutions, ses
ts, ses lassitudes, ses espoirs.

Nun hält die Strassenbahn. Am Marengo-Platz, sagt man, obwohl man eigentlich Jean Jaurès-Platz sagen müsste, da der Name des Sozialisten aus Castres seit mehr als vierzig Jahren den der Schlacht ersetzt hat. Gärten schmücken ihn, Bäume beschatten ihn, ein Springbrunnen plätschert hier, umgeben von ruhigen Wasserbecken.

Tagsüber ist er das Paradies der Kinder und der Spaziergänger. Die ersten spielen, verschlingen die von den Händlern angebotenen Waffeln. Die anderen nehmen auf einer Bank, auf Stühlen Platz und sonnen sich, schlagen ihre Zeitungen auf, plaudern. Alle treffen sich hier, denn wir sind wirklich im Herzen der Stadt.

Ein Herz, das noch höher schlägt, wenn die Nacht grüsst. Sie beginnt mit einem Kinobesuch oder einem Abendessen in einem der zahlreichen Restaurants, wird dann in den Kneipen fortgesetzt und endet in den Diskotheken, die in den anliegenden Strassen eine neben der anderen liegen. Hier fängt also la Dolce Vita an.

Saint-Etienne by night. Hier feiert man und geht aus, aber man arbeitet auch hinter der reich verzierten Fassade, welche die Redaktion der lokalen Tageszeitungen beherbergt

Die Presse ist so etwas wie der Stern einer Stadt. Sie erhellt sich, wenn in den Wohnhäusern das Licht ausgeht. Wenn spät der Schlusstrich unter die Artikel gezogen wird, verzehrt man das schäumende Fassbier, den "croque-monsieur" (knuspriger, mit Käse überbackener Schinkentoast) und die Diskus-

And here, the streetcar stops... it stops a
Marengo, as they say here, instead o
"Place Jean Jaurès" which is the
correct name for it, since it is that of the
Socialist from Castres which has, fo
over forty years now, replaced the name
of the battle. Gardens adorn the place
trees cover it, a fountain babbles, basin
slumber.
In the daytime, the square is heaven o
earth for children and strollers. The
former play, wolf down waffles from the
stands. The latter settle on a bench, o
chairs and warm up against sunbeams
unfold their papers, chat away. Yo
come across everybody here because i
is the heart of the city par excellence.
The heart pounds even more with th
dates of the night. It starts with a film i
a theatre, or dinner in one of the man
restaurants, continues in cafés, ends u
in discothèques which form a chain i
the neighbouring street. Such is the
starting point of "La Dolce Vita".
Saint-Etienne by night is manifolc
celebration and evenings out on the one
hand, work behind the elaborated faça
de of the building which serves as
editorial offices for the Saint-Etienne
dailies, on the other hand.
The press is something like the star of a
city: it goes on when homes go ou
When, late at night, a full stop is put a
the end of the articles, beer on draugh
foams then, croque-monsieurs ar
bitten into with a crunch and talks flov
into the bistrots.
Here is the night with its dreams, its
utopian re-deals, its fears, its resolut
ions, its oaths, its moment of lassitude

SOLAURE
524

La maison du sentiment

L'eau, c'est la vie. Quand une ville n'a pas de fleuve pour lui apporter le miracle sans fin du courant avec ses transparences et ses folies, il lui faut des fontaines. Celle de la Place Jean Jaurès jaillit en fraîcheur et fait panache sur le dos de l'Hôtel-de-ville au Nord. C'est en 1822, le 25 août, que la première pierre de la Maison Commune fut scellée aux cris de "Vive le Roi". La construction allait se poursuivre plutôt mal que bien car les devis de l'architecte DALGABIO s'enflaient si bien que des procès, des contestations freinaient les travaux. Tant et tant que c'est seulement en 1830 que le premier employé municipal y enfila ses lustrines. En 1871, ce n'est pas "Vive le Roi" que l'on cria dans la salle des Fêtes, mais "Vive la Commune". Et, drame, un Préfet courageux, M. de l'ESPEE, qui tentait de calmer les esprits, fut assassiné à coups de fusil. L'histoire l'a oublié et peu de Stéphanois le savent.

Restauré, rénové, modifié, l'Hôtel-de-ville est sentimentalement lié et vissé au paysage des Stéphanois. Quand un référendum fut organisé voici quelques années pour envisager l'éventualité de son déplacement, les "non" écrasèrent les "oui". Alors, il est resté. Mieux, le hall d'entrée est désormais utilisé pour accueillir et présenter des expositions. Avec son jardin intérieur, ses balcons, ses escaliers, ses plafonds, la Maison Commune a ses romantismes. Elle abrite, de part et d'autre, des boutiques commerçantes.

Das Haus des Gefühls

Wasser ist Leben. Wenn eine Stadt einen Fluss entbehren muss, mit dem immerwährenden Wunder des durchsichtigen launischen Stroms, braucht sie Springbrunnen. Der auf dem Jean-Jaurès-Platz steigt frisch und büschelig hinter dem Rathaus im Norden empor. Am 25. August 1822 wurde der Grundstein fürs Gemeindehaus unter Hochrufen "Es lebe der König" gelegt. Die Bauarbeiten gingen eher mühsam voran, denn die Kostenanschläge vom Architekten DALGABIO schwollen dermassen an, dass Prozesse, Einsprüche die Arbeiten verlangsamten. Alles verzögerte sich so sehr, dass erst 1830 der erste städtische Angestellte seine Ärmelschützer anzog. 1871 wurde im Festsaal nicht "Es lebe der König", sondern "Es lebe die Kommune" gerufen. Unglücklicherweise wurde der mutige Präfekt Herr de l'ESPEE, der die Gemüter zu beruhigen versuchte, erschossen. Die Geschichte hat ihn vergessen und nur wenige Einwohner wissen es.

Das restaurierte, modernisierte, umgebaute Rathaus ist für die Einwohner ein fester Bestandteil ihrer vertrauten Umgebung. Als vor einigen Jahren über eine eventuelle Verlegung abgestimmt wurde, überwogen die Nein-Stimmen. Deswegen blieb es da stehen. Besser noch, die Eingangshalle wird seitdem als Ausstellungsraum benutzt. Mit seinem Innengarten, seinen Balkonen, Treppenhäusern, Decken, wirkt das Gemeindehaus romantisch. Auf beiden Seiten beherbergt es Boutiquen.

The house of sentiment

Water is life. If a town does not have any river to bring in the endless miracle of the current with its transparency and eccentricity, it needs springs and fountains. The one on the Place Jean Jaurès spouts up in cool gushes and forms a plume of water against the back of the Town Hall on the Northern side. The first stone of the "Common House" was set on August 25, 1822, among "Long live the king !" cheers. The construction was to be carried on in a rather hectic way because the architects Dalgaios's estimates, the architect's, inflated to such an extent that trials and contestations checked its progress. All this took so long that it was not before 1830 that the first town clerk was able to put on his lustrines. In 1871 the cheers which rung in the Lecture Hall were not "Long live the king !", but "Long live the Commune !". The ensuing tragedy was that a courageous Préfet, M. de l'ESPEE, trying to calm the crowd down, was shot down. History forgot him and few people from Saint-Etienne know about this.

Restored, renovated, modified, the Town Hall is bound and rooted to the familiar scenery of the people. When a referendum was organized a few years ago to contemplate the possibility of transferring it elsewhere, the project was thoroughly outvoted and the edifice remained. Better still, the lobby is now used to take in and show exhibits. With its inner gardens, its balconies, its stairs, its ceilings, the "Common House" keeps its romantic features. Regular shops are to be found in either aisle of the edifice.

RIVAGES

cent !

e n'a sa carte de visite de département de la Loire 1856. La Préfecture a été ntre 1895 et 1901 au Nord Jean Jaurès. Une place où ncore le bruit des ciseaux et oannès MERLAT. Coiffeur-ait ici salon et en même taillait les favoris et les il récitait, dans sa barbe, à ses clients. Il composait ansons populaires :

t la fin de la semaine
se distraire un brin
e sont pas en peine
rf et de l'entrain
yer une bonne tranche..."

ot est dit : "Gaga". C'est le portent les Stéphanois. pourquoi ?
rce que dans certaines lan-nes, l'expression "gagates" ierre et par extension, t-être encore parce que le lait de "gagau" pour évo-ns, donc les puits de mine. fin, parce que "gagasser" nière de parler très rapi-est proche de celle de la stéphanoise. Le particula-ccent demeure. On accen-", on fait traîner en les s "in, on et les an". Le café papa est pâpâ, et maman, accent n'est pas éloigné de nadiens.

Was für ein Akzent !

Erst seit 1856 fungiert Saint-Etienne als Hauptstadt des Departements Loire. Die Präfektur wurde zwischen 1895 und 1901 im Norden des Jean Jaurès Platzes erbaut. Ein Platz, wo das Klirren der Schere und die Stimme von Joannès MERLAT noch zu vernehmen sind. Hier hielt der Friseur und Lyriker Salon und während er seinen Kunden die Koteletten und Schnauzbärte stutzte, murmelte er in seinen Bart Sonette für seine Kunden. Er komponierte auch volkstümliche Lieder :

"Wenn die Woche zu Ende geht
Und der Abend vor der Tür steht
Fällt es den Gagas nicht schwer,
Denn sie amüsieren sich sehr
Und toben sich mal richtig aus..."

Das Wort "Gaga" ist gefallen. Diesen Spitznamen tragen die Einwohner von Saint-Etienne. Aber warum ?
Vielleicht, weil in einigen alten Sprachen der Ausdruck "gagates" Stein und im weiteren Sinne Steinkohle bedeutete. Vielleicht auch, weil im Keltischen "gagau" Löcher bezeichnete, mithin die Bergbauschächte. Schliesslich kam es vielleicht daher, dass "gagasser" schnelles Reden bedeutet, was für die Sprechweise der Bevölkerung von Saint-Etienne typisch ist. Die Eigentümlichkeit des Akzents bleibt. Man betont das "A", die Nasalen "in", "on" und "an" zieht man in die Länge mit besonderer Betonung. Der café wird zu câfé (kahfe), papa heisst pâpâ (pahpah) und maman heisst mahmang. Dieser Akzent ist dem der Kanadier verwandt.

What an accent !

It is only in 1856 that Saint-Etien obtained its letters patent of nobility County town for the Loire County. T County Hall was built between 18 and 1901 on the Northern side of t Place Jean Jaurès, a square which still echoing the jangles of the scisso of Joannès MERLAT, as well as his go voice. He was a poet-hairdresser a had his salon here, trimming whiske and moustaches while he recited in his beard, sonnets for his customers. also composed popular songs:

"When the week end draws close
If they want to have fun
The "gaga" are not at a loss
They are full of spirit and go
To live it up...

There it is, "gaga", the nickname of t natives, queer as it may sound... do ask me !
It might be called so because "gagate meant stone, and by extension, coal some ancient languages; it might al be because Celtic used the wo "gagau" for holes, and therefo pitfaces, but "gagasser" might another etymology in as much the ve meant talking quickly, which is typical the Saint-Etienne way of talking, of t accent. The "a" sounds form at the ba of their throats, they enunciate t nasal sounds - "an", "on", "in" - in more nasal way, stress them more th in Standard French. The "café" soun this like "café" (Karfe), "papa" "pâpâ" (parpar), and "maman "mâmain" (marmein)... an acce which quite resembles Frenc Canadian.

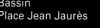

Bassin
Place Jean Jaurès

Das Becken
Jean Jaurès Platz

The fountain
on the place Jean Jaurès

Le manège des affaires

Si la place Jean Jaurès est le haut lieu de la nuit, la place de l'Hôtel-de-ville a des mouvements de city, de manège des affaires. C'est la place des banques, le carrefour des transactions.
Les voitures qui l'encombraient ont été enterrées dans un parking souterrain, un jet d'eau y jaillit, un jeu d'échecs géant a été tracé au sol. Hier, à l'image des ramblas d'Espagne, on y déambulait volontiers en allers-retours pour bavarder et marivauder à la sortie des bureaux et des lycées. "On faisait la place de l'Hôtel-de-ville". Hier toujours, elle accueillait d'extraordinaires "mardis gras". Les enfants déguisés descendaient par centaines des quartiers proches et la noyaient sous les confettis. Alors, nostalgie ?
Non, car la place sait reprendre, quand il est nécessaire, des habits de gaieté. Parfois, un manège pour enfants y tourne. Des concerts y sonnent.
A l'automne, une Fête du Livre y déplie de hauts chapitaux sous lesquels, écrivains et auteurs signent à grands tours de plumes, leurs livres pour le grand bonheur de dizaines et de dizaines de milliers de visiteurs.
Ce n'est pas que la place des attachés-cases et des cols blancs, c'est le forum, l'agora, où les grands évènements politiques, sportifs, rassemblent et réunissent.

Das Karussell der Geschäfte

Ist der Jean Jaurès Platz der Mittelpunkt des Nachtlebens, dann mutet der Rathausplatz wie eine City, wie ein Karussell der Geschäfte an. Das ist der Platz der Banken, das Handelszentrum. Die überall parkenden Autos wurden in eine Tiefgarage verbannt. Da schiesst jetzt ein Springbrunnen empor, ein Riesenschachbrett wurde auf dem Boden gezeichnet. Gestern noch ging man hier gern wie auf den spanischen "ramblas" auf und ab, bei Schul-und Büroschluss plauderte und versuchte man, mit den Mädchen anzubändeln. Man "bummelte über den Rathausplatz". Früher war er Schauplatz von ausserordentlichem Fastnachttreiben. Verkleidete Kinder stiegen scharenweise von den benachbarten Vierteln herunter und überschütteten ihn mit Confetti. Was nun, Nostalgie ?
Nein, der Platz kann doch, wenn es nötig ist, sich in Fröhlichkeit hüllen. Manchmal dreht sich da ein Kinderkarussell, Konzerte werden gegeben.
Im Herbst schlägt die Buchmesse ihre Zelte auf, unter denen Schriftsteller und Autoren mit weitausholenden Schriftzügen ihre Bücher widmen, zum Vergnügen der tausend und abertausend Besucher.
Dies ist nicht nur der Platz der Manager und der Büromenschen, es ist auch das Forum, die Agora, wo die Leute zu grossen politischen und sportlichen Ereignissen zusammenkommen.

The beehive of business

If the Place Jean Jaurès is the Mecca of the night, the Place de l'Hôtel-de-ville is a City-like powerhouse, a beehive, a merry-go-round of business. It is the marketplace of banks, the crossroads of transactions.
The cars which used to clutter it up are now buried in an underground parking-lot, a fountain spurts out, a giant exchequer was drawn on the pavement. Yesterday, in the image of Spanish "ramblas", people used enjoy going there to saunter up and down and chat or flirt a little when offices and schools come out. You would "wath the Place Jean Jaurès". Yesterday again, the place would welcome extraordinary "Mardi gras". Dressed up children would come down in hundreds from the nearby quarters and flood it with confetti... so, is there anything like nostalgia ?
No, because the square is able, when necessary, to put back on its attire of mirth; sometimes, a merry-go-round for children turns there; concerts ring.
In autumn, a Book Fair unfolds its big top under which writers and authors sign with great turns of the pen, their books for the greatest delight of dozens and dozens of thousand visitors.
It is not only the place for attaché-cases and white collars, it also is the forum, the agora, where great political, sports events, bring people together.

Une place pour le peuple

En terre stéphanoise, l'uniformité n'est pas la règle et la monotonie n'est pas de mise. Accrochées à la Grande Rue, les places se succèdent sans jamais se ressembler. Chacune a son caractère, son style, sa personnalité.
Celle du Peuple, lieu des anciens marchés, et autrefois appelée Pré de la Foyre, a conservé quelques vieilles maisons dont celle de la Tour. Dernier vestige épargné de fortifications ou fantaisie ostentatoire d'un riche bourgeois ? Les archives locales ne se mouillent pas et proposent les deux versions. Toujours est-il que l'essentiel est bien qu'elle demeure encore debout, solide et ronde pour marquer le temps et donner à la ville son coin d'histoire, tout en lançant un clin d'œil au "fast-food prêt à manger", qui assaisonne des salades et empile des pains ronds, en face même.
Les maisons anciennes dont la plupart ont rendu l'âme et les poutres sous les siècles ou sous les engins de la démolition avaient des caractéristiques très particulières.
Elles n'avaient qu'un étage. Au rez-de-chaussée, deux pièces. Sur la rue, celle pour recevoir et comme on ne recevait pas trop souvent, elle brillait comme un sou neuf. Sur la cour, la cuisine où les familles se retrouvaient. Un escalier de bois aussi raide qu'une échelle conduisait à des chambres flanquées d'alcôves. Au sol, partout, pas de carrelage mais des parquets sonores taillés dans le sapin.
A Saint-Etienne, on aime la Place du Peuple. "Le Peuple", comme on dit, c'est un peu l'étoile qui mène vers les vieux quartiers, qui ouvre sur les voies piétonnes.

Ein Platz für das Volk

Im Raum von Saint-Etienne ist Einförmigkeit icht die Regel und von Eintönigkeit kann gar nicht die Rede sein. Die mit der "Grande Rue" verbundenen Plätze folgen einander, ohne sich je zu gleichen. Jeder hat seinen eigenen Charakter, seinen Stil, seine Persönlichkeit.
Am einst "Pré de la Foyre" (Messewiese) genannten Volksplatz, Standort der früheren Märkte, sind einige alte Häuser erhalten geblieben, darunter das Turmhaus. Ein von der Zeit verschonter Überrest der Festungsmauern oder protziger Einfall eines reichen Bürgers ? Das Stadtarchiv will sich nicht festlegen und schlägt vorsichtshalber beide Fassungen vor. Wie dem auch sei, die Hauptsache ist, dass es nocht steht, fest und rund, von vergangenen Zeiten zeugt und der Stadt ihren historischen Winkel verleiht.
Dabei zwinkert es dem "fast-food-Schnellimbiss" zu, der schräg gegenüber Salate anmacht und Brötchen aufstapelt.
Die alten Häuser, von denen die meisten unter der Last der Jahrhunderte oder den Stössen der Abrissbagger Leben und Gebälk lassen mussten, wiesen ganz besondere Merkmale auf.
Es waren einstöckige Bauten. Zwei Räume im Erdgeschoss. Zur Strasse hin die gute Stube für den Besuch und, da Besuch selten kam, war sie blitzsauber. Zum Hof hin die Küche, wo die Familie zusammenkam. Steil wie eine Leiter führte eine Holztreppe zu Schlafzimmern mit Alkoven. Keine Bodenfliesen, sondern überall knarrende Fussböden aus Tannenholz.
In Saint-Etienne ist der Volksplatz beliebt. "Le peuple" (das Volk), wie er im Volksmund heisst, ist eine Art Stern, der zu den alten Stadtvierteln führt und von dem aus die Fussgängerstrassen erreichbar sind.

A place for the people

On the Saint-Etienne soil, uniformity is not the rule and monotony is not in season. Hanging up on the Grande Rue, squares follow one another and do not look a like; each spot has its own feature, its style, its personality.
The "Place du Peuple", the place of former markets, which was called "Pré de la Foyre" - Fair Meadow - in the old days, kept a few old houses, amongst which the "Maison de la Tour". Is it the last spared trace of fortifications or the ostentatious whim of some rich bourgeois ? Local records do not commit themselves and offer the alternative. In any case, the most important thing is that it remains standing, solid and round to show time and give the town an historic spot.
... historic, you name it, just you glance over the square and you will see a fast-food shop where salads are being dressed and plump loaves of bread, piled up.
Old houses most of which gave up the ghost and the beams, weighed down by centuries years or by pulling-down machines, although they had very specific characteristics.
They were one-storeyed, with two rooms on the ground floor: giving onto the street, the reception room, and, because people did not receive this much, it was as bright as a new pin; giving into the backyard, the kitchen where families would meet up. A wooden staircase as steep as a ladder went Xup to the bedrooms flanked with recesses. No tiles anywhere on the floor, but a resonant wooden floor cut from fir tree.
in Saint-Etienne, we like the Place du Peuple. "Le Peuple", as we say, is something like the star which leads to the old quarters opening onto the pedestrian precincts.

Si Saint-Etienne devait participer à un concours de monuments historiques, c'est, sans hésitation, la photographie de la Grande-Eglise qu'elle expédierait. D'abord parce qu'elle a un âge respectable puisqu'elle fut édifiée à partir de 1446. Ensuite, parce qu'elle a tout vu. Les Huguenots la pillèrent et dérobèrent les objets sacrés qui étaient les siens.
Plus tard, en 1792, on lui faucha ses cloches pour les fondre en canons. Plus tard encore, en 1828, on lui vola le coq qui faisait le paon sur son clocher. Enfin, on la baptisa "la Grande", alors, que derrière sa façade gothique, elle est de dimension plutôt réduite.
Voilà qui est beaucoup même pour une église. Enfin, elle s'est consolée car elle sait que les stéphanois l'aiment. Elle en a reçu la preuve à travers les opérations de construction et de restauration dont elle a été régulièrement l'objet.
L'intérieur a trois nefs qui font voûtes, des chapelles latérales, et des vitraux à travers lesquels jouent les lumières.

Sollte Saint-Etienne einmal an einem Wettbewerb der historischen Denkmäler teilnehmen, dann würde es zweifelsohne eine Photographie der Grossen Kirche einschicken. Zuerst wegen ihres ehrwürdigen Alters, da ihr Bau 1446 begann. Dann, weil sie allerlei erlebt hat. Die Hugenotten plünderten sie und entwendeten ihre liturgischen Gegenstände.
Später, im Jahre 1792 wurden ihre Glocken geklaut und zu Kanonen eingeschmolzen. Noch etwas später, 1828 stahl man ihr den Wetterhahn, der sich auf ihrem Turm brüstete. Zuletzt wurde sie "la Grande" (die Grosse) getauft, obwohl sie sich hinter ihrer gotischen Fassade eher bescheiden ausnimmt.
Das ist allerhand, selbst für eine Kirche. Schliesslich hat sie sich damit getröstet, dass die Einwohner sie lieben. Die regelmässigen Bau-und Wiederaufbauarbeiten, denen sie unterzogen wurde, bewiesen es ihr.
Das Kircheninnere hat drei gewölbte Schiffe, Seitenkapellen sowie bunte Fenster, durch die das Licht spielend einfällt.

If Saint-Etienne were to take part
contest for ancient monuments,
photograph of the "Grand' Egli
would, without hesitation, be sent o
First, because its age is respecta
since it was erected from 14
onwards, then because the edi
witnessed everything. The Protes
rebels "Huguenots" plundered it
robbed away all sacred furniture wh
belonged there.
Later on, in 1792, the bells were lug
off to be cast into guns. Later on ag
the peacock which peacocked on
steeple was stolen away. It was, at
baptised "La Grande", the Great
notwithstanding its rather small dim
ions behind the Gothic façade.
This is a bit too much, even for a chu
Anyway, it found consolation with
certainty that it is loved by the pe
here. Evidence of this love it was g
through the construction and res
ation operations which were regu
launched.
The inside divides into three n
which form a vault, side-chapels,
stained glass windows through w
lights play.

On the rocks...

L'hiver a fait surprise.

On ne l'attendait pas. Enfin, pas si tôt. Il a avancé le rendez-vous, bousculé les saisons, dérangé le calendrier.

La première neige d'une nuit a blanchi le matin.

Cela ne fait ni chaud ni froid, d'ailleurs, à la terrasse figée sur place.

Mais, au fait, qu'allez-vous prendre ?

Crème glacée ?

Apéritif "on the rocks" ?

On the rocks...

Der Winter hat uns überrascht.

Man erwartete ihn nicht. Jedenfalls nicht so früh. Er hat den Termin vorverlegt, Jahreszeiten und Kalender durcheinandergebracht.

Der erste Schnee, in der Nacht gefallen, hat den Morgen in Weiss gehüllt.

Das lässt sowieso die erstarrte Terrasse kalt.

Aber, bitte schön, was wünschen die Herrschaften ?

Eiscreme ?

Aperitif "on the rocks" ?

On the rocks...

Winter caused a surprise.

It was not expected. Well, not so early. It brought forward the rendez-vous, jostling seasons, upsetting the calendar.

The first snow, a night old, pointed the morning white.

Be it warm or cold, the terrace could not care less, anyway. It is congealed.

What would you have, by the way ?

An ice-cream ?

An apéritif on the rocks ?

meilleurs
ent tota-
éphanois,
aussi vrai
, et débé-

lus vieux
sa". L'ex-
n de Par-
ue de l'art

s poètes-
se réunis-
et versi-
n retrouve
Debout, il

ux Saint-

nne

que rien

Bastille

de barre
s de gare

peuses
leuses

peuse ne
C'était le
taient les

es réno-
é la mine.

Der Babet

Der "babet" ? Den besten klassischen Wörterbüchern ist dieser Begriff unbekannt. In der Mundart von Saint-Etienne bedeutet er Tannenzapfen. Genau wie "baraban" Löwenzahn bedeutet oder "débéloise" Kaffeekanne.
Dieser babet gedeiht im ältesten Stadtviertel, dem Panassa. Der Ausdruck ist eine Verballhornung von Parnasse, der berühmten poetischen "l'art pour l'art"-Bewegung.
Panassa also, denn die Arbeiterdichter und Kabarettsänger kamen in den Kneipen zusammen und dichteten. Und hier im Rauch steht der berühmte Joannès MERLAT.

"In der Altstadt kenne ich eine Ecke von jeher
Da lebt und stirbt der Plebejer
Der echte Gaga
Da sind die düsteren Lumpen zu Haus
Am Marthourey, an der Bastille ohne Paus
Im Panassa"

"Hier kommen die Kettenbaumzieher vorbei
Kumpels oder Gassenjungen, Leute von der Bandweberei
Es sind noch lange nicht alle da
Hinzu kommen die Kohlesortiererinnen
Sowie Litzenweber und Einfädlerinnen
Im Panassa !"

"Clapeuse" (Kohlesortiererin) ist ebenso wenig ein authentisches französisches Wort wie babet. So wurden die Frauen genannt, die Steine aus der Kohle sortierten.
Der Panassa gehört der Vergangenheit an. Die Stadtsanierungen haben ihn vollkommen verändert... Bleibt der babet.

The Babet

The "babet" ? If you look it up in the be
classical dictionaries, you find a blar
page. In the Saint-Etienne dialect,
means fir cone, just as "baraban" is th
word for dandelion, and "débéloise" f
coffee-pot.
This "babet" grows in the oldest quart
of the town, the "Panassa". The word
a distortion of "Parnasse", the famou
school of poetics advocating art for art
sake.
The Panassa it is called then, becaus
poet-workers and lyric writers used
gather here in the "bistrots" to wri
verse. Joannès MERLAT we find he
again, standing in the smoke ar
singing:

"There is a place in old Saint-Etienne
Where lives and dies the race plebeia
Of the genuine gaga
It is the den of villains nothing titillate
Near the Marthourey, near the Bastil
In the Panassa.

You see there assistants
Miners or "gapians", railro
employees
But there is more company
You also see there rat-tat-lasses
Haberdashers and threading-girls
In the Panassa !"

Just like the "babet", you would not fir
the word "clapeuse" - rattat-lasses -
the lexicon. It was the name given to th
women who removed stones from coa
The Panassa is a memory; town reno
ations modified the face of the pitfa
spirit... but the "babet" lives on.

à côté.
venue jus-
e, elle che-
estrier frin-
ssus d'un
ditionnel et

om de Boi-
nie né en
aussi faci-
s cerises.
un battant
'éclairage :
ulateur.
e en Amé-
.

an die Jungfrau von Orleans

Domrémy liegt nicht gerade in der Nähe. Dennoch ist Johanna bis hierher gekommen. Seit 1916 reitet sie ein lebhaftes Schlachtross, das sich in einem traditionellen und geschäftigen Stadtviertel über einen kleinen Platz schwingt.
Der Nachbarplatz nennt sich Boivin Platz. Boivin, Jahrgang 1794, war ein genialer Mechaniker. Er erfand am laufenden Band. Zur Bandfabrikation erfand er eine mechanische Weblade. Für Strassenlaternen : einen Gaszähler sowie einen Druckregler.
Er versuchte es dann in Amerika, von wo er nie zurückgekommen ist.

Domrémy (Birthplace of Joan of Arc
not quite next-door from here...
...yet, Joan of Arc came all the wa
Saint-Etienne: you can see her oppos
the Grande-Eglise riding, since 191
high-spirited charger leaping abov
square in a traditional and shopp
quarter.
The neighbouring square rea
"Boivin"... a engineering genius bor
1794; the man invented just as easily
the cherry tree produces cherries...
...for the making of ribbon: a mechan
flap; for lampposts: a gas meter toget
with a regulator.
He then went in for adventure
America without ever returning.

Place Boivin la nuit Der Boivin Platz bei Nacht The Place Boivin by night

La spéléologie des villes

On aurait pu croire que la traboule était une exclusivité lyonnaise. Erreur. Saint-Etienne a les siennes.
Comme leurs soeurs d'entre Rhône et Saône, elles sont habiles à se faufiler d'une rue à l'autre. Elles se glissent sous les porches, se jouent des portes, coupent les angles, avalent les escaliers, serpentent, deviennent étroites pour mieux s'élargir.
Les traboules, c'est la spéléologie des villes.
Elles portent des peurs et donnent quelques frissons quand elles percent les obscurités des vieux quartiers. Elles font naître de l'émotion et des révélations, quand, quittant les ombres sombres des couloirs, elles éclatent sous le ciel d'une cour où un escalier colimaçonne, où une statuette habite une niche.
Les traboules, c'est le dernier jeu de piste des villes, les dernières coursières de l'aventure, les derniers sentiers de la découverte.
Certains quartiers, comme celui de Chavanelle, où une gare de cars a pris la place d'un marché nocturne de gros, ont encore des aspects de morceaux de gruyère tant les traboules y font trous.

Höhlenforschung der Städte

Man könnte glauben, dass die "traboule" (Strassendurchgang) nur in Lyon zu finden ist. Weit gefehlt. Saint-Etienne hat auch die seinen.
Wie ihre Artgenossen zwischen Rhône und Saône schlängeln sie sich geschickt von einer Strasse zur anderen. Sie schleichen sich durch Hauseingänge ohne Rüksicht auf Türen und Häuserecken , stürzen die Treppen hinunter, schlängeln sich wieder hoch, verengen sich und verbreitern sich dann.
Die traboules, das ist die Höhlenforschung der Städte.
Sie stecken voller Ängste, lassen einen erschaudern, wenn sie sich durch die dunklen alten Stadtviertel bohren. Die dunklen Gänge verlassend, entdeckt man mit Ergriffenheit einen vom Licht durchfluteten Hof mit einer Wendeltreppe oder einer Statuette in ihrer Nische.
Die traboules sind das letzte Pfadfinderspiel in den Städten, die letzten abenteuerlichen Abkürzungswege, die letzten Entdeckerpfade.
Manche Stadtviertel wie Chavanelle, wo ein nächtlicher Grossmarkt einem Busbahnhof Platz machen musste, sehen noch wie ein Stück Schweizer Käse aus, von zahlreichen traboules durchlöchert.

Potholing in towns

You might think the "traboule" thoroughfare is exclusively from Lyon... it is a mistake, Saint-Etienne has its own ones.
Like their sisters between the Rhône and the Saône Rivers, they cunningly edge their way from one street to the next; they slip under porches making light of doors, cutting through angles, swallowing stairs, snaking round, narrowing only to become wider.
The "traboules" are like potholing in towns.
They convey fears and make you shiver by plunging right through the dark regions of the old quarters. Emotion and revelations arouse, when, emerging from the gloom of the passages, they shine out in a courtyard where a staircase spirals up, where a little statue occupies a niche.
The "traboules" are like a track-following game in towns, the last gangways of adventure, the last paths of discovery.
Some quarters, like Chavanelle where a coach station replaced a night wholesale market, still have the aspect of a molehill by dint of being bored through by "traboules".

Une image d'Orient

Saint-Charles, Montaud, Notre-Dame, la Grande-Eglise, Saint-François, Valbenoîte, Saint-Roch, Saint-Louis, et d'autres...
La ville a plus de clochers qu'elle n'a de collines.
Sans oublier Sainte-Marie et son choeur au coeur de Saint-Etienne. La paroisse fut créée en 1805. Vingt ans après, elle fut remaniée sur des plans de l'architecte DALGABIO, celui-là même qui dessina l'Hôtel-de-ville, avant d'être agrandie en 1859.
Des autels de province, elle a les ferveurs dorées, les silences, les prières, les chants et les offices endimanchés.
Mais, quand les lumières jouent dans ses dômes, elle fait image d'Orient.

Ein orientalisches Bild

Saint-Charles, Montaud, Notre-Dame, la Grande-Eglise, Saint-François, Valbenoîte, Saint-Roch, Saint-Louis und andere... Die Stadt hat mehr Kirchtürme als Hügel.
Die Sainte-Marie kirche mit ihrem Chor im Herzen von Saint-Etienne darf dabei nicht vergessen werden. Die Pfarrgemeinde wurde 1805 gegründet. Zwanzig Jahre später wurde die Kirche nach den Plänen von DALGABIO umgebaut, demselben Architekten, der das Rathaus entworfen hatte, bevor sie 1859 vergrössert wurde.
Mit den Altaren der Provinz hat sie die vergoldeten Verzierungen gemeinsam, die Stille, die Gebete, Gesänge und Messen im Sonntagsstaat.
Aber wenn das Licht sich in ihren Kuppeln wiederspiegelt, hat sie etwas Orientalisches.

An oriental picture

Saint-Charles, Montaud, Notre-Dame, the Grande-Eglise, Saint-François, Valbenoîte, Saint-Roch, Saint-Louis, and others... the town has more spires than it has hills.
Sainte-Marie and its choir in the heart of Saint-Etienne deserve a special mention: the parish was created in 1805; after twenty years, it was redesigned on the plans of DALGABIO, the very designer of the Town Hall, before being extended in 1859.
Like provincial altars, its ritual is full of golden religious fervours, of pauses, of hymns and services with a congregation in their Sunday's best...
...but, when lights play on its domes, it is like an Oriental picture.

Les jeux de la muse

Gracile et nue, la muse s'amuse-t-elle ? Pas sûr. Elle a plutôt l'air d'avoir des frissons donnés par les vents de l'Avenue de la Libération. Elle se réchauffe, bras réunis, en rêvant aux compositions musicales du maître dont elle fredonne les mélodies.

Massenet, répondant au doux prénom de Jules, dont il avait horreur, est enfant de Saint-Etienne où il poussa ses premières notes en 1842. Prix de Rome en 1863, grand voyageur, il parcourut l'Allemagne et la Hongrie avant de s'installer à Paris.

Il fait alors entendre une suite d'orchestre, Pompéia et un opéra-comique, la Grande Tante.

Puis, les oeuvres s'enchaînent sur les scènes : Hérodiade (1881), Manon (1884), Werther (1892), Thaïs (1894), Sapho (1897), le Jongleur de Notre-Dame (1902), Ariane (1906), Thérèse (1907), Don Quichotte (1910). Il était l'homme de la prosodie théatrale et des effets dramatiques.

Moins connues et moins célèbres que sa muse, d'autres statues font ici et là le coin de rue. Ainsi, ce Bacchus coloré qui se niche vers la rue de la Résistance, tout près de la Chambre de Commerce et d'Industrie.

Spiele der Muse

Feingliedrig und nackt, amüsiert die Muse sich ? Das ist nicht sicher. Sie scheint eher zu frösteln in dem Wind, der die Avenue de la Libération entlangfegt. Sie erwärmt sich, indem sie die Arme um sich legt und von den Kompositionen des Meisters träumt, dessen Melodien sie vor sich hinsummt.

Massenet, mit Vornamen Jules, den er schrecklich fand, ist in Saint-Etienne geboren, wo er 1842 seine ersten Töne zum besten gab. 1863 erhielt er den "Prix de Rome", und als weitgereister Mann fuhr er kreuz und quer durch Deutschland und Ungarn, bevor er sich in Paris niederliess.

Dort führte er "Pompéia" auf, eine Orches[illegible] eine komische Oper, "die Grosstante".

Dann folgten sich seine lückenlos auf den Bühnen : "Hérodiade" (1881), "Manon" (1884), "Werther" (1892), "Thaïs" (1894), "Sapho" (1897), "Le jongleur de Notre-Dame" (1902), "Ariane" (1906), "Thérèse" (1907), "Don Quichotte" (1910). Er war ein Meister der theatralischen Prosodie und der dramatischen Effekte.

Hier und dort findet man an einer Strassenecke andere Statuen, die nicht so bekannt und berühmt wie seine Muse sind. Zum Beispiel den bunten Bacchus, der in der rue de la Résistance in einer Nische aufgestellt ist, ganz in der Nähe der Industrie und Handelskammer.

The Muse's play

Is the slender and naked Muse amused ? That's not certain. She rather looks as if the winds of the "Avenue de la Libération" made her shiver. She warms herself up, her arms folded and dreams of musical compositions by the maestro, whose melodies she is humming.

Massenet, answering to the sweet name of "Jules", which he detested, is a native of Saint-Etienne where he struck his first notes in 1842. The prizewinner in Rome in 1863 and a great wayfarer, he travelled all over Germany and Hungary before settling in Paris.

He produced then an orchestral suite, "Pompéia", and a light opera, "La Grande Tante".

Subsequently, works follow on from each other on stages: Hérodiade (1881), Manon (1884), Werther (1892), Thaïs (1894), Sapho (1897), Le Jongleur de Notre-Dame (1902), Ariane (1906), Thérèse (1907), Don Quichotte (1910). He was a past master in theatrical prosody and dramatic effects.

Less famous and known than his Muse are the statues scattered across the town at the corners of streets, like the florid Bacchus in his niche near the Rue de la Résistance, next to the Chamber of Commerce and Industry.

A votre bon cœur

Havre de chaleur pour soulager les misères, la Maison de la Charité fut construite en 1688.
Elle devint le rendez-vous des démunis, des pauvres. Elle abritait les peines physiques, les désarrois, la faim. Plus tard, on la dota d'une chapelle devant laquelle une statue de Saint-Vincent de Paul se dressait. Le prêtre avait la main tendue pour aider.
Aujourd'hui, la Charité est un centre de gériatrie et de convalescence qui se situe dans le cadre du Centre Hospitalier Universitaire.
Des anciennes structures demeurent : le portail d'entrée et son bas-relief, œuvre d'un sculpteur stéphanois Victor ZAN. Il porte la date de 1926 et sous l'écussion de la ville, montre CARITAS recevant et accueillant les malheureux.

Bitte um eine milde Gabe

Das "Haus der Mildtätigkeit" (Maison de la Charité) wurde 1688 gebaut, um in einer warmherzigen Umgebung das Elend zu erleichtern.
Es wurde die Zuflucht der Armen, denen es an allem fehlt, der Kranken, Mutlosen, Hungernden. Später wurde eine Kapelle gestiftet, vor der sich eine Statue des Heiligen Vincent de Paul befindet. Der Priester streckt helfend die Hand aus.
Heute ist die Charité ein Zentrum für Alterskrankheiten und Nachbehandlung, das der Universitätsklinik angeschlossen ist.
Die Bausubstanz ist geblieben : Das Eingangsportal mit seinem Flachrelief, Werk des in Saint-Etienne geborenen Bildhauers Victor ZAN. Es trägt das Datum von 1926 und unter dem Stadtwappen zeigt es Caritas, die die Unglücklichen empfängt und aufnimmt.

Be kind and charitable

The Maison de la Charité, a warm harbour for the relief of miseries, was built in 1688.
It became the meeting place for the destitute, the poor; it turned into a sheepfold for physical pain, disarray, hunger. A chapel was later on appended to it, with a statue of Saint-Vincent de Paul standing in front of the edifice and offering a helping hand.
Today the Charité is a geriatric and convalescent home belonging to the Centre Hospitalier Universitaire.
Old structures remain : the entrance gate and its low relief made by a sculptor from SAINT-ETIENNE, Victor ZAN. It dates back to 1926 and shows, below the town coat of arms, CARITAS welcoming the needy.

CARITAS

L'art dans la rue

José FRAPPA était peintre. Il quitta la ville, où il était né en 1854, pour montrer ses œuvres à Paris et y chercher une réputation plus grande.
Mais Saint-Etienne ne s'est pas montrée ingrate puisqu'il y a son bout de rue et son monument.
Sa rue, elle chemine en voie piétonne, près de la Place du Peuple, dans le vieux quartier Saint-Jacques. Autrefois, le carrefour des rencontres chaudes et des nuits roses.
Son monument est debout dans les jardins de la Place Jean-Jaurès.
A certains points de la ville, à la crête des collines, les ateliers d'artistes fourmillent. Ils ont trouvé, avec les anciennes fabriques désertées par la passementerie, de la hauteur, des volumes, de l'espace et des lumières.
Et puis, l'Ecole Nationale des Beaux-Arts et le Musée d'Art Moderne allument deux phares de forte attraction où les jeunes peintres aiment venir réchauffer leur vocation et nourrir leurs recherches.
Pour accompagner cet élan vers les arts plastiques, des galeries ont ouvert leurs portes et offert leur murs. Elles permettent l'expression des créateurs locaux, la confrontation des styles et des genres. Elles s'associent aux grands mouvements que dessine le Musée. Elles le complètent. Comme, lui, avec leurs moyens souvent modestes, avec la même passion, elles assurent la découverte et la promotion de l'art contemporain. Elles le font vibrer dans la rue.

Strassenkunst

José FRAPPA war Maler. Er verliess die Stadt, wo er 1854 geboren wurde, um seine Werke in Paris auszustellen und so berühmter zu werden.
Aber Saint-Etienne hat sich nicht undankbar erwiesen, denn er hat dort seine Strasse und sein Denkmal.
Seine Strasse befindet sich in der Fussgängerzone, in der Nähe des Volksplatzes in dem alten Stadtviertel Saint-Jacques. Früher was hier der Treffpunkt der "heissen Nächte" und zweifelhaften Begegnungen.
Sein Denkmal steht in den Grünanlagen des Jean-Jaurès-Platzes.
An gewissen Stellen der Stadt, auf den Hügeln, wimmelt es von Künstlerateliers. Sie haben in den ehemaligen Fabriken der Bandweberei die nötigen Raum und das nötige Licht gefunden.
Ausserdem sind die Nationale Akademie der Bildenden Künste und das Museum für Moderne Kunst zwei starke Anziehungspunkte, wo die jungen Maler ihre Berufung zu bestätigen suchen und ihre Forschungen betreiben können.
Um diese Begeisterung für die bildenden Künste zu unterstützen, haben Galerien ihre Türen geöffnet und ihre Wände zur Verfügung gestellt. Sie erlauben den hiesigen Schöpfern sich auszudrücken, Stile und Arten zu konfrontieren. Sie schliessen sich den grossen Bewegungen an, die das Museum nachzeichnet. Sie vervollständigen es. Genauso, wenn auch oft mit beschränkten Mitteln, aber mit der gleichen Leidenschaft, erlauben sie, die Gegenwartskunst zu entdecken und bekannt zu machen, nicht zuletzt auf der Strasse.

Art in the street

José FRAPPA was a painter. He left the town, where he was born in 1854, to show his works in Paris and seek a greater fame.
Saint-Etienne, however, did not prove ungrateful and gave him some length of street and a monument.
His street makes its way through a pedestrian precinct near the Place du Peuple, in the old quarter SaintJacques; it used to be the crossroads of red-light encounters and nights.
His monument stands in the gardens of the Place Jean Jaurès.
Certain spots in the town, on top of the hills, teem with artists' studios. They found there, in the deserted factories of trimmings, height, volumes, space and lights.
Furthermore, the Ecole Nationale des Beaux-Arts and the Musée d'Art Moderne, like two real beacons, radiate a strong feeling of attraction around wich young painters like to warm up their calling and nurture their research.
Accompanying this surge of enthusiasm for plastic arts, galleries opened their doors and offered their walls; they enable local creators to express, styles and genres to meet; they join in the great movements sketched out by the Museum, complete it. Parallel to the Museum, with their budget often modest, with the same passion, they secure the discovery and the promotion of contemporary art... and have it vibrated in the street.

Buste de José FRAPPA

Buste von José FRAPPA

José FRAPPA'S bust

Au coin de la rue

Voilà bien le genre de question qu'un journal pose à ses lecteurs quand il organise un concours.
Savez-vous où est situé ce haut-relief ?
A parier que les Stéphanois répondraient non tant il est vrai que l'habitude voile les regards et détourne les curiosités.
Alors, où est-il donc ce haut relief ? Aux yeux de tous, Avenue de la Libération, il pare la façade de l'Hôtel des Ingénieurs en symbolisant l'activité des Houillères et l'effort des hommes.
D'autres sculptures, d'autres statues se sont ici et là, oublier à l'ombre d'un jardin, au coin d'un square.
Place Jules-Ferry, une mini statue de la Liberté, réplique de la fameuse oeuvre New-Yorkaise de Bartholdi.
Toujours Avenue de la Libération, vers le lycée Claude Fauriel, un monument marque les mémoires des élèves morts lors de la guerre de 1914.
Tous ces témoins sont les pierres précieuses des Poucets de la grande ville. Ils en gravent l'histoire, en marquent les itinéraires, en jalonnent les étapes, en signent les chemins.

An einer Strassenecke

Hier eine typische Frage, die eine Zeitung ihren Lesern in einem Preisausschreiben stellt.
Wissen Sie, wo sich dieses Hochrelief befindet ?
Wetten, dass die Einwohner von Saint-Etienne "nein" antworten würden, dermassen verhüllt die Gewohnheit den Blick und lenkt die Neugierde ab.
Also, wo befindet sich nun dieses Hochrelief ? Unter den Augen aller, in der Avenue de la Libération, schmückt es die Fassade des Hauses der Ingenieure, indem es die Bergbauarbeit und die Anstrengung der Menschen symbolisiert.
Andere Skulpturen, andere Statuen befinden sich hier und dort, vergessen im Schatten eines Gartens, an der Ecke einer kleinen Grünanlage.
Auf dem Jules-Ferry-Platz zum Beispiel steht eine Nachbildung der berühmten New-Yorker Freiheitsstatue von Bartholdi in Miniatur.
Ebenfalls an der Avenue de la Libération, bei dem Claude-Fauriel-Gymnasium, zeugt ein Denkmal von den Schülern, die im ersten Weltkrieg gefallen sind.
Alle diese Zeugen sind wertvolle Steine für die Däumlinge der grossen Stadt. Sie gravieren ihre Geschichte in Stein, machen ihren Verlauf kenntlich, begrenzen ihre Epochen, markieren ihren Weg.

At the corner of the street

This is exactly the type of question a newspaper asks the readers when it organizes a quiz game: 'Do you know where this high relief is located ?'
You might as well bet that people from Saint-Etienne would be at a loss to answer because habit, it is true, blurs glances and diverts curiosity.
Well then, where is this high relief now ? In the Avenue de la Libération, in the full view of everyone, it adorns the façade of the Hôtel des Ingénieurs and symbolises the activity of the coalmines and the efforts of men.
Other sculptures, other statues, here and there, in the shade or in the corner of a public garden, are being left off :
on the Place Jules Ferry, a mini Statue of Liberty, it is the replica of the famous New-York version by Bartholdi,
on the Avenue de la Libération again, near the Lycée Claude Fauriel, where is a monument commemorates deceased pupils during World War I.
All these testimonies are the precious stones for the Tom Thumbs in the great town. They imprint its history, waymark its itineraries, punctates its stages, have the town written all over its ways.

Un village dans la ville

Quand un quartier s'appelle Soleil, on peut supposer, soit qu'il bénéficie d'une exposition exceptionnelle, soit que ses rues furent celles du bonheur.
Le Soleil stéphanois ne doit pas son nom à des rayons particuliers et plus chauds, mais à une famille Soliez, qui possédait ici des terrains. Il ne fut pas non plus dans les camps de la joie et, en mai 1944, il connut le martyr lors d'un bombardement qui posa le feu et le deuil sur la ville.
Consacrée aux mineurs, l'église, construite en 1845, porte le nom de Sainte-Barbe.
Le Soleil, c'est plus qu'un quartier, c'est presque un village aux portes de la ville.
Un village avec ses ambiances et ses rythmes. Il avait été construit de bric et de broc, des opérations d'urbanisme lui ont donné et lui donneront de nouvelles brillances.

Ein Dorf in der Stadt

Wenn ein Stadtteil "Sonne" heisst, kann man annehmen, dass es entweder aussergewöhnlich gut gelegen ist oder dass seine Strassen besonderes Glück gekannt haben.
Das Sonnenviertel verdankt seinen Namen nicht besonderen und wärmeren Strahlen, sondern einer Familie Soliez, die hier Grundstücke besass. Es stand auch nicht gerade auf der Sonnenseite des Lebens, denn im Mai 1944 erlebte es ein wahres Märtyrium anlässlich einer Bombardierung, die Feuer und Trauer über die ganze Stadt verbreitete.
Die 1845 gebaute und den Bergleuten gewidmete Kirche trägt den Namen der Heiligen Barbara.
Das Sonneviertel ist mehr als nur ein Stadtteil, es ist fast ein Dorf vor den Toren der Stadt.
Ein Dorf mit seiner Stimmung und seinem Rhythmus. Es war völlig planlos gebaut worden und Sanierungsarbeiten gaben und geben ihm neuen Glanz.

A village inside the tow

If a district bears the name of "Sol
- Sun -, you may assume that it eit
enjoys exceptional exposure, or that
streets have been streets of happine
The "Soleil" in SAINT-ETIENNE was
called so because of special and warr
sunbeams, but because of a particu
SOLIEZ family, who owned land in t
district; it was not a camp of joy eith
and underwent martyrdom during an
raid in May 1944, when fire and de
rained on the town.
The church, built in 1845, is dedica
to miners and is called "Sainte-Barb
The "Soleil" is more than a sim
district, it is virtually a village at
gates of the town...
...a village with its own spells of hum
and rhythm. It had been built with o
and ends, but urbanistic operati
endowed the place with new brillian

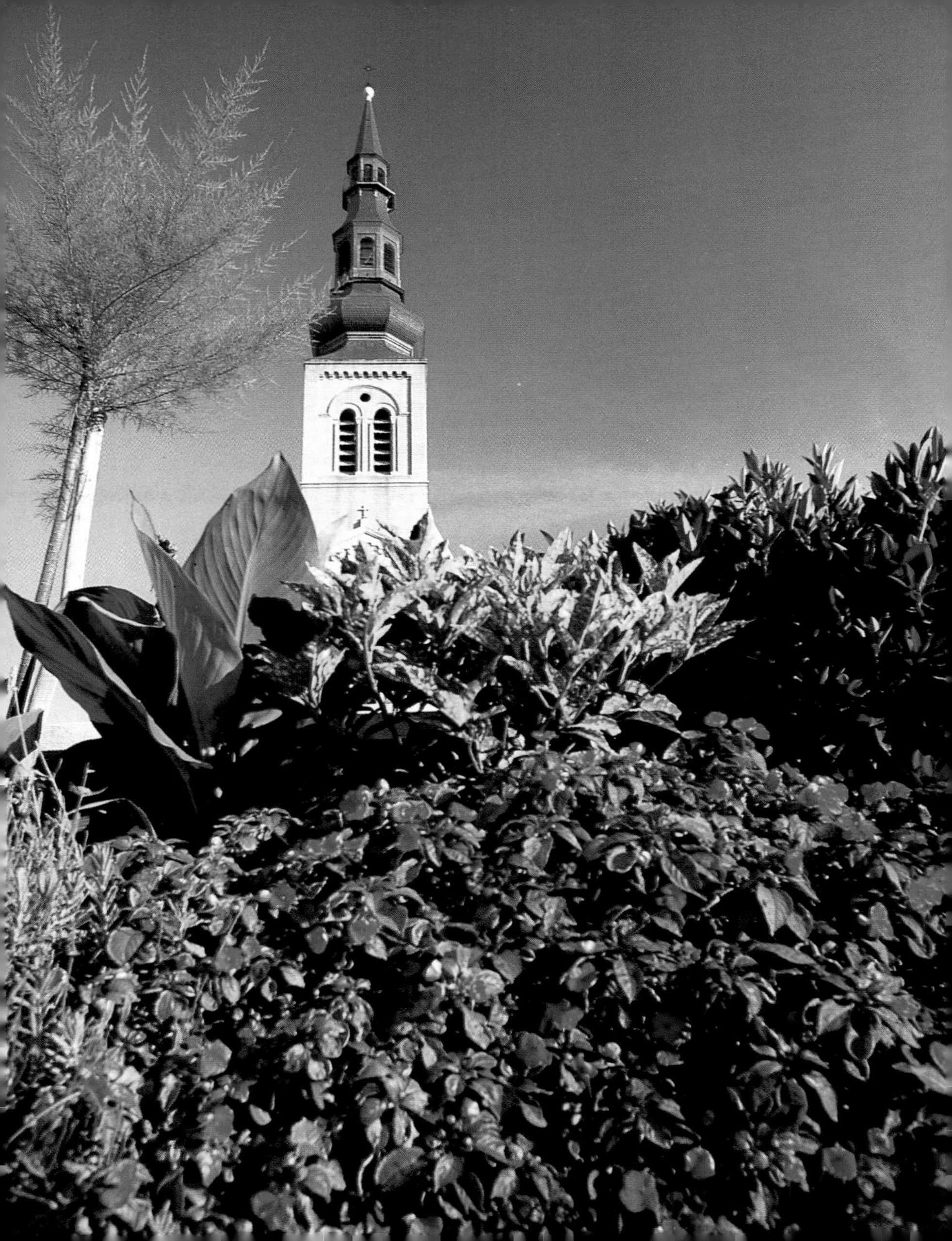

Le parler "gaga"

Il y a un ascenseur fonceur pour avaler sans peine les flancs du Crêt de Roch. Une éminence urbanisée. Elle n'a pas été nommée ainsi parce qu'elle est taillée dans la roche, mais plus banalement car elle a conservé le nom de l'ancien propriétaire des terrains, un certain... Roch.
Il y a donc un ascenseur. Il a forme de gélule. Il évite des fatigues et des essoufflements. Mais il va vite, trop vite, et ne garde que bien peu de souvenirs.
Eux, les escaliers où les pas font trace, ont dans leurs marches tout le dictionnaire des mots d'hier. Et ils savent l'ouvrir à qui le demande. Ecoutez-les parler :

— A borgnon : dans le noir
— Adober : abîmer
— Basseuille : homme niais
— Beauseigne : pauvre homme
— Carcameler : tousser
— Chanforgne : musique bruyante
— Coissou : jeune enfant
— Cuchon : désordre
— Débarouler : tomber
— Ebarliaudes : troubles visuels
— Gueniller : rencontrer des difficultés
— Jabiasser : parler à tort et à travers
— Machuré : sali
— Marpailler : abîmer
— Raptaret : petit homme malin
— Sacaraut : celui qui saccage
— Traviole : de travers
— Veson : personne agaçante

Der "gaga" Dialekt

Es gibt einen schnellen Aufzug, um muhelos zum Gipfel des "Crêt de Roch" zu gelangen. Eine in der Stadt bekannte Attraktion. Sie wurde nicht so genannt, weil sie in den Felsen (la roche) gehauen ist, sondern sie hat ganz einfach den Namen des ehemaligen Besitzers der Grundstücke behalten, eines gewissen... Roch.
Es gibt also einen Aufzug. Er hat die Form einer Kapsel. Mit ihm gelangt man ohne Mühe und ohne Atemnot nach oben. Aber es geht schnell, zu schnell und lässt nur sehr wenige Erinnerungen zurück.
Die Stufen hingegen, wo die Schritte ihre Spuren hinterlassen haben, tragen auch die Spuren der Worte von gestern. Und sie öffnen das Wörterbuch jedem, der darum bittet. Hören Sie zu :

— A borgnon : im Dunklen
— Adober : beschädigen
— Basseuille : unbedarft, töricht
— Beauseigne : armer Teufel
— Carcameler : husten
— Chanforgne : laute Musik
— Coissou : kleines Kind
— Cuchon : Unordnung
— Débarouler : stürzen
— Ebarliaudes : Sehstörungen
— Guenillier : auf Schwierigkeiten stossen
— Jabiasser : Unsinn reden
— Machuré : dreckig
— Marpailler : beschädigen
— Raptaret : listiges Männlein
— Sacaraut : einer, der kaputtschlägt
— Traviole : schief, schräg
— Veson : eine Person, die auf die Nerven geht.

The gaga lingo

A swift lift makes short work of th slopes of the Crêt de Roch, an urbanize knoll which does not derive its nam from its rocky nature, but took if after th previous owner of these pieces of lanc whose name was ...Roch.
There is a lift then, a capsule-shaped li to skip over bouts of fatigue and shor ness of breath. The lift is swift, though too swift, and it obliterates memories. On the contrary, the stairs on the Crêt d Roch, hollowed by generations of foo steps, are still imprinted with yeste day's words, they form a dictiona which opens for the one who listens them:

— A borgnon : (groping) into the dark
— Adober : to spoil
— Basseuille : half-wit
— Beauseigne : poor chap
— Carcameler : to cough
— Chanforgne : hullabaloo
— Coissou : young child
— Cuchon : mess
— Débarouler : to fall
— Ebarliaudes : visual troubles
— Gueniller : to meet with difficultie (rags)
— Jabiasser : to talk idle
— Machure : soiled
— Marpailler : to spoil
— Raptaret : a crafty fellow
— Sacaraut : vandal, hooligan
— Traviole : crooked
— Veson : an irritating person

enez bon la rampe !

Entre les deux guerres, aux heures des années 1930, une frénésie de modernité donna la fièvre aux cabinets d'architectes. Elle s'exprima dans toutes les capitales européennes mais aussi en France, à Paris, à Lyon, à Grenoble et à ... Saint-Etienne.
Ici, en 1933, Auguste Bossu eut l'extravagant génie de construire une maison sans escalier. Pas de marches, pas d'ascenseur, mais une rampe hélicoïdale qui dessert six niveaux autour d'un vide central couronné d'une calotte de béton, percée de pavés de verre.
L'idée avait son originalité et un prospectus publicitaire de l'époque la vantait ainsi : "La maison sans escalier ! la maison de demain ! Pourquoi ? L'escalier est un moyen barbare de monter les étages. Les marches imposent à tous le même pas, aux petits comme aux grands, aux enfants comme aux vieillards, aux malades comme aux bien-portants. Avec notre montée par galerie en plan incliné, chacun fait le pas qui lui convient, long ou court, rapide ou lent, comme on le fait sur le trottoir...".
Mais, l'imagination ne fait pas toujours le confort et si la Maison sans escalier se doubla, six ans plus tard, d'une jumelle proche, le programme d'Auguste Bossu en resta là.
Témoins d'une époque, les Maisons sans escaliers illustrent une recherche mais n'ont pas fait courir les copropriétaires, même si elles attirent et retiennent toujours la curiosité.

Halten Sie sich gut fest

Zwischen den beiden Weltkriegen, in den dreissiger Jahren, wurden die Architektenbüros von einem regelrechten Erneuerungsfieber erfasst. Es drückte sich in allen europäischen Hauptstädten aus, aber auch in Frankreich, in Paris, Lyon, Grenoble und ... Saint-Etienne.
Hier hatte Auguste Bossu 1933 den genialen Einfall, ein Haus ohne Treppen zu bauen. Keine Stufen, kein Aufzug, aber eine schneckenförmige Rampe um eine leere Mitte herum, von einer mit Glassteinen durchsetzten Betonplatte bedeckt.
Die Idee war tatsächlich originell und ein Werbeprospekt aus dieser Zeit pries sie mit folgenden Worten an : "Das Haus ohne Treppe ! Das Haus von morgen ! Warum ? Die Treppe ist ein barbarisches Mittel um Stockwerke zu ersteigen. Die Stufen schreiben allen den gleichen Schritt vor, den Kleinen wie den Grossen, den Kindern wie den alten Leuten, den Kranken wie den Gesunden. Mit unserem Aufgang auf einer Rampe macht jeder den ihm passenden Schritt, lang oder kurz, schnell oder langsam, wie man es auf dem Bürgersteig macht...".
Aber die guten Einfälle sind nicht immer komfortabel und wenn auch sechs Jahre später neben das erste Haus ohne Treppe ein zweites gebaut wurde, so beliess man das Programm von Auguste Bossu doch dabei.
Zeugen ihrer Zeit veranschaulichen die

During the interwar years, in the 193 a frenzy of modernity took the archite practices; this frenzy was expressed every European capital, but also France, in Paris, in Lyon, Grenoble and in... Saint-Etienne.
Here, in 1933, did Auguste Bossu h the extravagant stroke of genius to b a house without stairs; no stairs, no but a helicoid banister serving six lev around a central void topped by concrete calotte fitted with gl cobbles.
The idea was eccentric enough an promotional leaflet of these d boasted of: "The House without Stai The House of Tomorrow ! Why because stairs are a barbarous mean going to upper floors, stairs inflict everybody the same pace, on the li ones as on the big ones, on children on the elderly, on the sick as on thos good health. With our slope gallery ted with an inclined plane, everyb takes the length of strides that suitable for him, the pace he wants he does on the pavement..."
Imagination, though, is not alw comfortable and if indeed the Ho without Stairs was given a twin siste the neighbourhood, Auguste Bos plan fell through.
As testimonies of a particular per the Houses without Stairs illustrate type of research and although if did catch on with joint owners they draw and hold our curiosity.

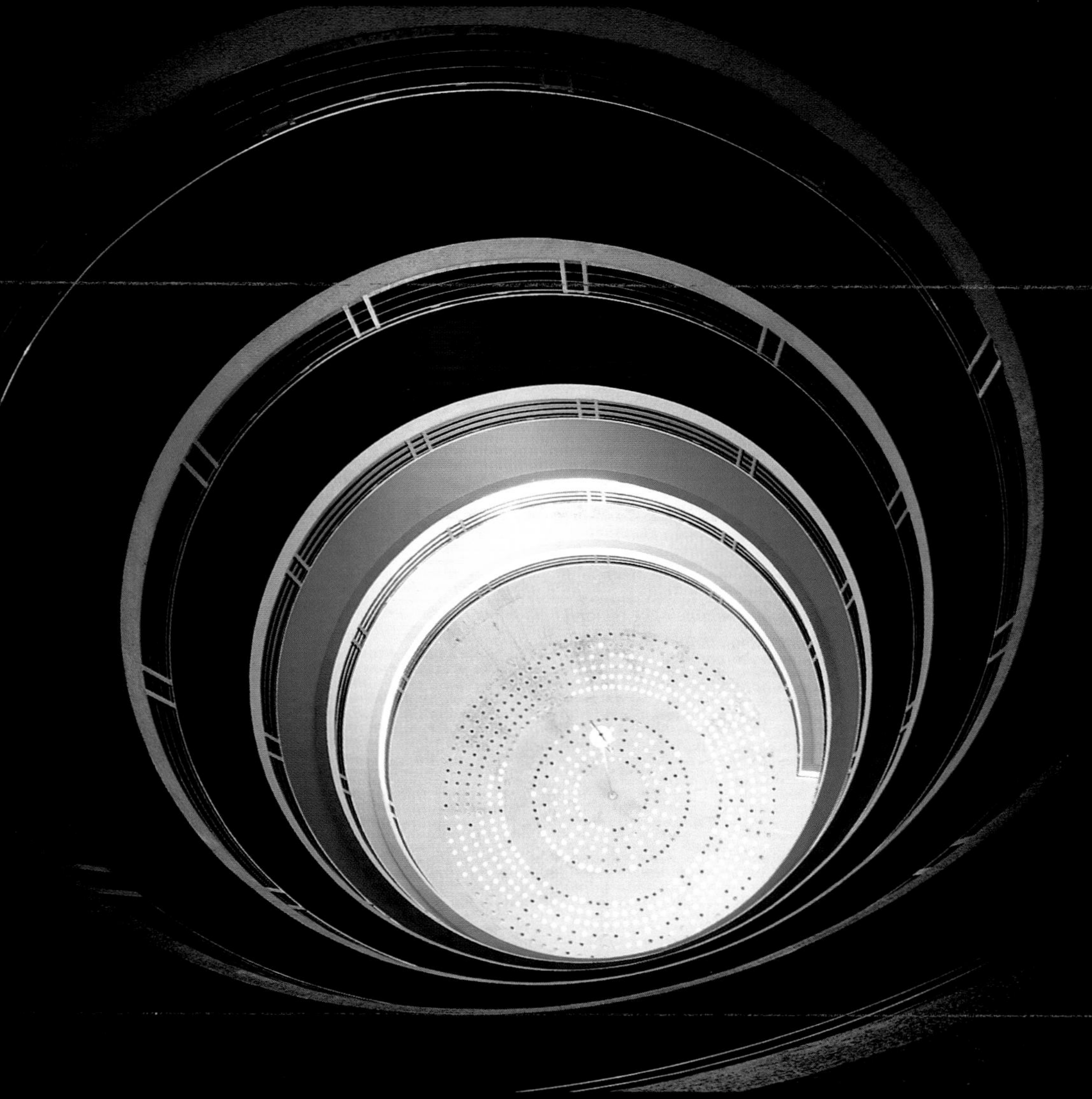

Vous avez dit Anatole France ?

Anatole France, l'auteur des "Dieux ont soif", a sa place à Saint-Etienne, en bordure de la grande rue, quand elle tend vers le sud de la ville.
Place Anatole France ? "Connais pas..." dit une majorité de la population qui lui a conservé son ancien nom de Badouillère, emprunté à un sieur Badol, propriétaire des terres du coin.
La Place Badouillère, pardon, la Place Anatole France, porte sur ses façades le confort travaillé de la Belle époque. Les immeubles qui lui font ceinture carrée ont l'allure bourgeoise et l'architecture cossue.
Etienne Mimard, le père de Manufrance, avait résidence ici et faisait, dit l'anecdote, souvent quelques pas de détente dans le petit jardin qui pousse entre les belles maisons.
Un jardin où a été inauguré, en 1934, un monument en hommage à Antoine DURAFOUR, Maire de Saint-Etienne et Ministre du Travail, et dont le fils, Michel, fut aussi Maire de la Ville (1965-1977), et Ministre du Travail.

Sie haben gesagt Anatole France ?

Anatole France, der Verfasser von "Die Götter haben Durst", hat seinen Platz in Saint-Etienne am Rand der grossen Strasse, in ihrem südlichen Teil.
Anatole-France-Platz ? "Kenn ich nicht..." sagt die Mehrheit der Bevölkerung, die dafür den ehemaligen Namen Badouillère behalten hat, einem gewissen Herrn Badol entlehnt, dem Besitzer der anliegenden Grundstücke.
Der Badouillère-Platz, Entschuldigung, der Anatole-France-Platz trägt auf seinen Fassaden den verzierten Komfort der Belle Epoque zur Schau. Die Gebäude, die im Viereck um ihn herumstehen, sehen gutbürgerlich aus und haben eine solide Architektur.
Etienne Mimard, der Vater von Manufrance, hatte hier seinen Wohnsitz und einer Anekdote zufolge, machte er oft ein paar Schritte, um sich zu erholen in dem kleinen Garten, der sich zwischen den schönen Häusern befindet.
Ein Garten, wo 1934 ein Denkmal enthüllt wurde, zu Ehren von Antoine Durafour, Bürgermeister von Saint-Etienne und Arbeitsminister, dessen Sohn Michel auch Bürgermeister (1965-1977) und Arbeitsminister war.

Did you say Anatole France ?

Anatole France, the author of Les Dieux ont soif - The Gods are thirsty - has got his own square-bordering the Grande Rue when it bends towards the South.
"Place Anatole France ?" Don't know where it is... the majority will answer because they clung to the former name of "Badouillère", deriving from a certain landed gentleman of the area, called Badol.
The "Place Badouillère", Sorry, the "Place Anatole France" sports out on its façades the intricate comfort of the Belle Epoque. The buildings square-belting the place look snug in their aspect and opulent in their architecture.
Etienne Mimard, the founding father of Manufrance, had taken up residence here and, so the anecdote records, often used to saunter for a few minutes in the little garden which grows amidst beautiful houses.
In this same garden, a monument was inaugurated in 1934 to pay tribute to Antoine Durafour, Mayor of Saint-Etienne and the Minister of Employment, whose son, Michel, was also elected Mayor (1965-1977), and Minister of Employment.

La place Badouillère Der Badouillere-Platz The place Badouillere

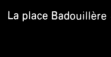

Hier, les armuriers...

Il n'y a pas si longtemps, l'utilité n'existait peu pour le Stéphanois, d'inscrire sa profession sur sa carte de visite. L'adresse, seule, suffisait presque à la faire deviner.
Ainsi, quand on habitait le quartier de Saint-Roch, cela signifiait pratiquement à coup sûr qu'on exerçait une activité liée à l'arme.
Puis, le temps a fait baisser beaucoup de rideaux sur les ateliers où les artisans appliqués rectifiaient et bronzaient les canons, ponçaient et vernissaient les crosses, ajustaient et trempaient les pièces mécaniques et les bascules.
Le temps a aussi usé le sol de la petite place mais pas son atmosphère villageoise.
Alors, on a gardé l'atmosphère et on a rajeuni la place en remplaçant les pierres et en y faisant danser l'eau d'une jeune fontaine devant la vieille église. Un édifice religieux qui, chaque année, quand Sainte-Cécile, la patronne des musiciens, souffle sa bougie, s'allume sous les feux de l'harmonie d'une chaleureuse aubade donnée par les accordéonistes.

Gestern Waffenschmiede

Bis vor kurzem noch war es für die Einwohner von Saint-Etienne fast überflüssig, ihren Beruf auf der Visitenkarte anzugeben. die Anschrift allein genügte schon, um ihn zu erraten.
So war es fast sicher, falls man im Stadtviertel von Saint-Roch wohnte, dass man einen Beruf ausübte, der mit den Waffen verbunden war.
Dann kam die Zeit, in der viele Werkstätten schliessen mussten, wo tüchtige Handwerker die Laüfe ausrichteten und bronzierten, die Kolben schliffen und lackierten, metallene Teile und Hähne abrichteten und härteten.
Die Zeit hat auch den Boden des kleinen Platzes angegriffen aber nicht seine dörfliche Stimmung.
Man hat also die Stimmung beibehalten und den Platz verjüngt, indem man das Pflaster ersetzte und das Wasser eines jungen Brunnens vor der alten Kirche sprudeln liess. Jedes Jahr, wenn man Sankt-Cäcilia, die Schutzheilige der Musiker, feiert, lebt das alte sakrale Bauwerk auf, unter den herzerwärmenden Tönen eines Platzkonzertes das von den Akkordeonisten gegeben wird.

Gunsmiths in the old times

There was almost no need, up to recent times, for the burgess to mention his professional activity on his visiting card: his mere address would have told.
Say you lived in the Saint-Roch quarter, it almost definitely meant that you were involved in an activity connected with arms.
Time passed then and many gunsmiths closed down their workshops where industrious craftsmen had previously trued up and bronzed barrels, smooth-filed and varnished butts, adjusted and quenched mechanical parts and bascules.
Time also wore the ground of the little square away although the village-like atmosphere lived on.
So, the atmosphere was preserved and the square took on a younger air when its cobblestone was replaced and a young fountain placed in front of the old church, where water gambols now. Every year, on the day when Sainte-Cécile, the patron saint of musicians, blows her birthday candle, the religious edifice lights up under the fire of harmony of the warm serenade given by the accordionists.

Bus et re-bus

Cette place est Dorian et surtout pas d'Orient. Elle porte le nom d'un maître de forges saisi par les feux de la politique et qui s'y chauffa si bien qu'il fut élu député de Saint-Etienne en 1863.
Sa carrière allait se poursuivre par un portefeuille ministériel empoché en 1870. Celui des Travaux Publics.
Largement ouverte, à portée de pas de la Place de l'Hôtel-de-Ville, voisine de la Grande-Rue, elle a toujours tenu sa... place dans le grand livre de l'histoire stéphanoise.
Au début de ce siècle, elle était la boutique sous le ciel où les petits cireurs lustraient les escarpins des beaux messieurs. Après, elle a résonné de tous les cris des animaux que l'on venait y vendre. Maintenant, elle est gare de transports en commun. Minute après minute, les bus en partent, y arrivent, en repartent.
Des brasseries la bordent La rue de la République qui a évidemment, en son temps, porté le nom de Rue Royale, y finit une course droite Des voies piétonnes lui tressent collier

Bus und Re-bus

Dieser Platz heisst Dorian aber nicht Orient. Er trägt den Namen eines Schmiedemeisters, der ein so glühendes Interesse für Politik hatte, dass er 1863 zum Abgeordneten von Saint-Etienne gewählt wurde.
Die nächste Etappe in seiner Karriere war ein Ministerposten, den er 1870 erhielt, den des Bauministers.
Weit geöffnet, ein paar Schritte von dem Rathausplatz entfernt und in unmittelbarer Nähe der Grossen Strasse, nahm er immer seinen... Platz in dem grossen Buch der Geschichte von Saint-Etienne ein.
Anfang dieses Jahrhunderts war er ein Geschäft unter freiem Himmel, wo die kleinen Schuhputzer den schönen Herren ihre Schuhe blank putzten. Später hallten dort die Rufe von all den Tieren wider, die man hier zum Verkauf brachte. Jetzt ist er der Bahnhof der offentlichen Transportmittel. Jede Minute fahren von hier Busse ab, kommen da an und fahren wieder ab.
Gaststätten umranden ihn. Die rue de la République, die selbstverständlich früher den Namen "Rue Royale" (Königsstrasse) trug, endet hier ihren geraden Lauf. Fussgängerstrassen umkränzen ihn.

Bus and re-bus

Although they enunciate in the same way, the "Place Dorian" should not be taken for the "Place d'Orient". The "Place DORIAN" bears the name of an ironmaster who went to the firing line of politics and got so heated that he was elected as "député" for the Saint-Etienne constituency in 1863.
His career was to carry on with a ministerial portfolio which he was granted in 1870: the Public Works Department.
The esplanade is wide open, at a stone's throw from the "Place de l'Hôtel de Ville", next to the "Grande-Rue", it has always found a... "place" in the great history book of Saint-Etienne.
It was, at the turn of the century, the open-air shop where little bootblacks would shine the fine shoes of smart gentlemen; it then came to ring with the cries of the animals that were sold there; it has now turned into a public transportation station... Every minute, buses leave, arrive, leave again.
"Brasseries"-bars line around; the "Rue de la République", which, naturally, used to be called "Rue Royale", ends there its straight route; pedestrian roads weave a garland around.

Le marché du passé

Giron. Avant-hier, une usine immense où naissaient des velours de renom. Hier, des ateliers fermés et des bâtiments abandonnés où l'on n'entendait plus que des silences. Aujourd'hui, grâce à une opération de réhabilitation, un espace de vie et d'activités.
Un site urbain qui abrite des entreprises, des administrations, un restaurant, une discothèque, une salle des ventes, une cité des antiquaires. Au cœur d'une zone piétonne, cette dernière est le nouveau paradis de la "chine".
On s'y attarde devant les objets et les meubles des siècles, on y déniche les bijoux et les bibelots des générations parties. On y lit la vie écoulée dans des ouvrages jaunis.
C'est la vitrine de l'histoire et le marché du passé.

Der Markt der Vergangenheit

Giron. Vorgestern noch eine riesengrosse Fabrik, wo Samtstoffe von Weltruf hergestellt wurden. Gestern stillgelegte Werkstätten und verlassene Gebaüde, wo nur noch die Stille herrschte. Heute ist daraus ein reger Geschäfts- und Dienstleistungskomplex geworden, dank umfassenden Renovierungsarbeiten.
Mitten in der Stadt ein Gebaüde, das Unternehmen, Büroräume, ein Restaurant, eine Diskothek, einen Auktionsraum, ein Antiquitätencenter beherbergt. Mitten in einer Fussgängerzone ist dieses das neue Paradies für alle, die nach einer guten "Gelegenheit" suchen.
Man bewundert in aller Ruhe Gegenstände und Möbel aus vergangegen Jahrhunderten, spürt Kostbares und Kitsch früherer generationen auf. In vergilbten Bänden kann man über Vergangenes lesen.
Dies ist das Schaufenster der Geschichte und der Markt der Vergangenheit.

The market of the past

Giron. The day before yesterday, it was a huge factory where renowned velvet materials were produced; yesterday, it was composed of closed workshops and derelict buildings, and the rest was silence; today, thanks to a rehabilitation scheme, it is a space for life and activities.
It is an urban location harbouring companies, administrative departments, a restaurant, a discothèque, an auction room, a colony of antique dealers. In the very heart of a pedestrian precinct, the colony has become the new heaven for the "Chine" amateurs, for those who collect junk.
You tarry there before items and pieces of furniture of past centuries; you stalk the jewels, trinkets and curios of past generations; you read the life that passed away in yellow-paged books.
It is the window-shop of history and the market of the past.

Au quai...

La gare, c'est bien souvent la première image qui s'imprime chez le visiteur et la dernière photographie qu'il emporte dans ses valises.
Celle de Châteaucreux avait des vêtements austères, étriqués. Ceux de ses cent ans bien sifflés. Elle donnait plutôt envie de partir que d'arriver, de fuir que de rester.
Municipalité stéphanoise, Chambre de Commerce et S.N.C.F. ont travaillé ensemble à une double réhabilitation d'esthétique et de fonctionnalité.
D'une part, la structure métallique a été remise en valeur en se soulignant de lignes colorées. D'autre part, la disposition intérieure a été revue pour apporter plus de confort à l'accueil. Elle est active, cette gare. Cent quarante trains y arrivent, en partent chaque jour. Et dans l'année, plus d'un million trois cent mille voyageurs y portent leurs valises.
Devant cette gare rénovée, le square Stalingrad où a été érigé un monument du souvenir "Le Fusillé". Il est signé d'un sculpteur Lyonnais, SALENCHE, qui a gravé dans la pierre la douleur d'un résistant atteint au corps, mais dont les yeux vont encore au ciel. Il reçoit chaque année l'hommage de ceux qui ont traversé les guerres.

Auf den Bahnsteigen

Der Bahnof hinterlässt oft beim Besucher den ersten Eindruck und das letzte Bild, das er in seinem Koffer mitnimmt.
Der Bahnhof Châteaucreux in seinem zu knapp bemessenen Gewand, in dem er gut hundert Jahre gepfiffen hatte, sah eher miserabel aus. Bei seinem traurigen Anblick hatte man eher Lust abzufahren als anzukommen, eher zu fliehen als zu bleiben.
Der Stadtrat, die Handelskammer sowie die französische Bahn haben an einer ästhetischen und zweckmässigen Renovierung mitgearbeitet.
Einerseits wurde das Stahlgerüst durch einen farbigen Anstrich hervorgehoben. Andererseits ist das Innere neu eingerichtet worden, um der Kundschaft mehr Komfort zu bieten. Auf diesem Bahnhof herrscht reger Verkehr, tagtäglich fahren hundertvierzig Züge ein und aus. Über eine Million dreihunderttausend Reisende verkehren hier jährlich.
Vor dem renovierten Bahnhof, der Stalingrad-Square, wo ein Mahnmal "Der Erschossene" gesetzt wurde. Es ist das Werk eines Lyoner Bildhauers, SALENCHE, der den Schmerz eines verwundeten Widerstandskämpfers, dessen Augen gegen den Himmel gerichtet sind, in den Stein gemeisselt hat. Jedes Jahr legen hier die Kriegsveteranen einen Kranz nieder.

The platform of platforms

The railway station is frequently the first picture that imprints on the visitor and the last photograph he takes in his luggage.
The Châteaucreux station had an austere and skimpy attire on, the century-old mark of a whistling traffic... you felt more like departing than arriving, more like running away than staying.
The Town Council, the Chamber of Commerce and the S.N.C.F. - French Rail - teamed up over the double rehabilitation platform of aesthesticism and functionality.
In the first place, the metal structure has been set off by highlighting it with coloured lines; in the second place, the inner layout has been rethought to make the reception more comfortable. This station is an active one with a hundred and forty trains arriving and leaving daily, with over one million, three thousand travellers carrying their suitcase across the station.
The "Square Stalingrad" stretches in front of the renovated station, it guards a memorial monument "Le Fusillé" -the Executed Soldier -, signed by a sculptor from Lyon, SALENCHE, who engraved on the stone the pain of a Résistance fighter hit in the body, but whose eyes remain steadfastly fixed heavenwards. He is paid homage to every year by those who lived through wars.

eaucreux

Der Bahnhof von Chateaucreux

The Chateaucreux station

La solidarité

Tarentaise avec un s, c'est un village qui s'accroche aux flancs du Massif du Pilat.
Tarentaize avec un z, c'est un quartier de l'Ouest stéphanois.
Tarentaise a gardé son s, ses neiges, ses fermes, ses résidences secondaires, ses pentes.
Tarentaize n'a pas perdu son z, mais son visage, lui, a totalement changé. Les ruelles aux chaos médiévaux sont boulevards, les maisons bossues sont immeubles harmonieux.
Le quartier avait ses traditions laborieuses et c'est un beau symbole que la présence ici, dans un bâtiment vitré, du siège de la Fédération Nationale des Accidentés du Travail et des Handicapés.
Forte de 380 000 adhérents, elle a été créée en octobre 1921 par Baptiste MARCET, un maréchal-ferrant. Militant ouvrier, il a enraciné le développement de la Fédération à Saint-Etienne autour de quatre grands principes : l'union, la solidarité, l'indépendance, l'efficacité.
Avec d'autres pionniers de la justice sociale, Baptiste MARCET a su braver l'indifférence de l'opinion et des pouvoirs publics face aux désarrois humains et financiers de ceux que le travail avait blessé dans leurs corps. L'action revendicative ne s'est jamais démentie. Des victoires importantes ont été remportées. Mais le combat de la solidarité continuera toujours. Il est dans la tradition stéphanoise.

Die Solidarität

Tarentaise, geschrieben mit "s", ist ein Dorf, das sich an den Hängen des Pilat-Massivs festhält.
Tarentaize mit "z" ist ein Stadtteil im Westen von Saint-Etienne.
Tarentaise hat sein "s", seinen Schnee, seine Bauernhöfe, seine Wochenendhäuser, seine Hänge behalten.
Tarentaize hat immer noch sein "z" aber sein Gesicht hat sich vollkommen verändert. Aus mittelalterlichen schiefen Gassen sind Boulevards geworden, die buckeligen Häuser mussten harmonievollen Wohnhäusern weichen.
Die Fédération Nationale des Accidentés du Travail et des Handicapés (Bundesverband der Arbeitsgeschädigten und der Behinderten) hat hier ihren Sitz in einem verglasten Bau, was für ein an Arbeitertraditionen reiches Viertel eine schöne symbolische Bedeutung hat.
Der Verband zählt 380 000 Mitglieder und ist im Oktober 1921 von Baptiste MARCET, einem Hufschmied, gegründet worden. Durch ihn, ein aktives Mitglied der Arbeiterbewegung, hat sich der Verband in Saint-Etienne tief eingewurzelt, beruhend auf vier Prinzipien : Einigkeit, Solidarität, Unabhängigkeit, Wirksamkeit.
Mit anderen Pionieren der sozialen Gerechtigkeit trotzte Baptiste MARCET der Gleichgültigkeit der öffentlichen Meinung und der Behörden der moralischen und finanziellen Not derer gegenüber, die von der Arbeit körperlich verletzt wurden. Ihre Forderungen haben nie nachgelassen. Wichtige

Solidarity

Tarentaise spelt with
clinging to the hill
Massif...
Tarentaize spelt with
on the Western side
Tarentaise kept its
farms, its week-end
Tarentaize did not l
face did change: the
alleys turned into av
backed houses turne
buildings.
The quarter had
traditions and the b
this is the erection
building for the he
"Fédération Nationa
du Travail et des H
National Federati
Injuries and Disabili
With 380,000 memb
ation was founded i
Baptiste MARCET, a
a working-class mili
development of the F
Etienne into four
union, solidarity
efficiency.
Together with other
justice, Baptiste MA
to fly in the face of
the authorities, and
and financial disarra
work. The claiming
significant victories
off, but the solida
always carry on... it
the Saint-Etienne tra

e... celle de

ativement
d'un forum

versé, une
ions et fait

Elle a les
opres à la

ur de plu-
aires, d'un
e commer-
os sportifs,

acile d'être
rte densité
es se font,

wasserturms

Da ist noch ein Hügel...der von Montreynaud.
Er ist erst vor kurzem bebaut worden und ein Forum bildet den Kern des Stadtteils.
Mit einem umgestülpten Trichter versehen, überragt ein Hochhaus, einem Leuchtturm ähnlich, die anderen kleineren Bauten.
Das Zusammenleben wächst hier erst langsam heran. Es sucht nach seinen Wegen, wie es für die Jugend typisch ist.
Seine Seele bildet sich heraus in mehreren Schulen, einem farbigen Markt, einem Einkaufscenter, in Vereinen, Sportclubs und in einem Kulturzentrum.
Aber es ist nie leicht, ein Stadtviertel ohne Vergangenheit und mit einer grossen Bevölkerungsdichte zu sein. Ein Gleichgewicht entsteht, aber man braucht viel Zeit dazu.

the tower

Here is another hill... Montreynaud.
Its becoming urbanized is fairly rec
and organizes around a central foru
Topped by a funnel that is upside-do
a tower shoots up from constructi
and forms a lighthouse.
Life is brand-new here; it witnesses
progression in the vocation-seek
proper to youths.
Several educational establishments
colourful market, a shopping arca
societies, sports clubs, a cultural cer
mould its soul.
Nervertheless, it is not quite easy to l
in a neighbourhood without any pa
with a high population density. So
time is needed for everything to beco
evenly balanced.

Le renouveau urbain

Ici, au sud de la ville, il y avait une prison particulièrement sinistre. Des murs épais et noircis.
Là, au nord, étaient des abattoirs pas gais. D'autres murs aveugles et le même noir.
Alignées au fil de la longue et grande rue, les façades de l'une étaient aussi déprimantes que les enceintes des autres pouvaient être tristres.
Il fallait s'en débarrasser. Il fallait que s'évadent les deux blockhaus massifs et sans joie. La double évasion s'est faite. Prison et abattoirs ont trouvé d'autres horizons et d'autres aspects.
Libérés, Sud et Nord ont vu s'édifier des pôles de vie où les habitations et les commerces s'harmonisent.
Ici, au sud, Centre-Deux. Les immeubles vont au ciel, grandes surfaces et boutiques y aimantent une clientèle régionale. On y achète, on y flâne. On s'y rencontre. Des activités tertiaires y ont trouvé un cadre et des équipements.
Là, au nord, le quartier Bergson joue au Centre-Trois avec ses constructions neuves.
Ces deux réalisations des années récentes ont donné aux entrées de la ville de nouveaux sourires.

Eine neue Etappe in der Geschichte der Stadt

Hier im Süden der Stadt gab es ein besonders finsteres Gefängnis mit dicken geschwärzten Mauern.
Dort im Norden stand der Schlachthof, auch nicht fröhlich. Andere fensterlose Mauern und dasselbe Schwarz.
Längst der langen und grossen Strasse stand die Trostlosigkeit der Fassaden des einen der Traurigkeit der anderen Mauern nicht nach.
Es war notwendig, sie loszuwerden. Die zwei massiven freudlosen Häuserblöcke mussten herausgebrochen werden. Der doppelte Ausbruch ist zu Ende. Gefängnis und Schlachthof haben andere Standorte und ein anderes Aussehen gefunden.
Im befreiten Süden und Norden der Stadt wurden Lebensezentren geschaffen, wo Wohnhäuser und Geschäfte harmonisch nebeneinander stehen.
Hier im Süden "Centre-Deux" (Center 2). Wohnhäuser streben zum Himmel, Kaufhäuser und Boutiquen ziehen wie Magnete die Kundschaft der ganzen Umgebung an. Hier wird gekauft, gebummelt. Man trifft sich. Der Dienstleistungsbereich hat hier seinen Rahmen und Einrichtungen gefunden.
Da im Norden spielt sich der Stadtteil Bergson zum "Centre-Trois" (Center 3) auf mit seinen neuen Bauten.
Dank diesen zwei in den letzten Jahren geschaffenen Baukomplexen macht die Stadt bei der Ankunft einen frölicheren Eindruck.

The urban revival

Here, on the Southern side of the town, a prison that was particularly sinister, with thick blackened walls, used to stand...
...there, on the Northern side, a slaughterhouse not really cheerful-looking, with other blind walls and the same black colour.
Lined along the long and high street, the façades of the former were just as depressing as the enclosure of the latter were dreary.
We had to get rid of them both; we had to let the two massive and gloomy blockhouses escape. The double escape was performed: the prison and the slaughterhouse found new horizons and other aspects.
Released, North and South witnessed the building up of centres of life where dwelling places and shops are in harmony.
Here, on the Southern side, Centre-Deux: buildings climb to the sky, hypermarkets and shops attract regional customers. They buy. They saunter. Tertiary activities found here their sotting and facilities...
There, on the Northern side, the Bergson quarter plays the Centre-Trois with its new constructions.
These two recent creations gave the gates of the town new smiling faces.

I Bergson

II Bergson

II Bergson

entes de fer du che-
ts Couriot, la ville s'al-
s'offre sous le ciel pur.
certains disent le che-
e aérienne de la mine.
étallique, il domine le

uriot est muet. Ce puits
anois avait permis d'at-
nes les plus profondes
emps prospère, 3 000
on par jour, extrait par
neurs.
as mort car sur son site
ısée se crée. Avec de
première tranche de
'a à l'aménagement
terraine de 350 mètres
qué, bardé de la tenue
iteur y descendra véri-
y remonter le temps. Il
on des dernières heu-
écanisée, automatisée,

Zwischen den Stahlbalken des Förderturms der Zeche Couriot sieht man die Stadt, wie sie sich langzieht, sich hinstreckt und sich unter dem klaren Himmel ausbreitet. Der Förderturm, manche sagen "der Turm", ist der oberirdische Teil der Zeche. Wie ein Leuchtturm aus Metall überragt er das Gelände.
Seit 1973 steht die Zeche still. Dieser Schacht im Westen von Saint-Etienne erlaubte es, zu den tiefsten Flözen vorzustossen und in seiner besten Zeit förderten rund 1 500 Bergleute täglich 3 000 Tonnen Kohle.
Sie steht still aber ist nicht tot, denn auf dem erhaltenen Gelände wird ein Museum geschaffen. Ein ehrgeiziges Vorhaben. Der erste Arbeitsabschnitt hat als Ziel die Einrichtung von einem unterirdischen Stollen von 350 Metern Länge. Einen Schutzhelm auf dem Kopf, in Bergarbeiterkleidung wird der

You can see the town stretching and offering itself under the clear sky between the iron pithead frame - the "chevalement" - of the Couriot Shaft The "chevalement", some say the "chevalet", is the aerial part of the mine, like a metal lighthouse; it overlooks the place.
Couriot has kept silent since 1973; the shaft of the Western end of Saint-Etienne had made it possible to reach the deeper layers and produced, in the prosperous days, 3,000 tons a day extracted by about 1,500 miners.
Though silent, it is not dead because a museum is being set up on its perserved site... an ambitious museum. The first section of work will correspond to the fitting-up of a 380-yard long underground gallery; in a helmet and wearing the miner's out it clothes, the visitor will go down into the mine to go back into the past, so to speak. He wil

électrifiée. Il traversera les chantiers des années 30 à 50, où l'air comprimé apportait ses souffles précieux, avant de parcourir les galeries et les tailles du début du siècle, où l'abattage du charbon et son transport devaient tout à la puissance et à la peine des hommes et des chevaux.
Dans ces profondeurs de la terre noire où certains ont traversé leur existence, le même visiteur ne passera qu'une petite heure. Suffisante pour mesurer les mouvements du charbon et des remblais, des machines, des hommes. Et pour apprécier l'intelligence gestuelle de ceux qui maniaient le pic ou le marteau. Suffisante pour comprendre les risques d'un métier qui faisait vivre mais qui épuisait et tuait. Relisez Germinal.

Besucher dort hinunterfahren, um in vergangene Zeiten zurückzukehren. Er wird die moderne Förderung sehen, wie sie zuletzt praktiziert wurde, modern, mechanisiert, automatisiert, elektrifiziert. Er wird die Abbauabschnitte der dreissiger und fünfziger Jahre durchschreiten als die wertvolle Pressluft ihnen das Atmen erleichterte, bevor er die Stollen und Abbaufronten zu Anfang des Jahrhunderts kennenlernt, als der Verhau und der Transport der Kohle ganz von der Kraft der Männer und der Pferde abhingen.
In diesen Tiefen der schwarzen Erde, wo einige ihr ganzes Leben verbracht haben, wird der gleiche Besucher nur eine Stunde verbringen. Ausreichend, um den Transport der Kohle und des Versatzes, der Maschinen und der Menschen zu begreifen.

see recent exploitation: modern, mechanized, automated, electrified. He will walk across the excavation sites of 1930s to the 1950s to which compressed air brought precious blasts of ventilation, before walking through the galleries and tunnels of the beginning of the century, at the time when coal was extracted and transported thanks to the strength of men and horses and by the sweat of their brows.
In these depths of black earth where some men spent their lifetime, the visitor will spend only under an hour, just long enough for him to weigh up the shifts of coal and embankments, of machines, of men... and to appreciate the gestural intelligence of those who handled the pickaxe and the hammer... just long enough to grasp the dangers of a profession by which you could live but which exhausted and killed you... just you reread Zola's Germinal !

Les lumière de la Sainte-Barbe

Premier signe visible et spectaculaire de la reconstitution-hommage que recevra le Puits Couriot, son illumination lors de la Sainte-Barbe, fête des mineurs.
Cet éclairage a valu à Saint-Etienne, la réception du prix du monument historique le mieux éclairé.
Mais, il faut revivre un 4 décembre d'antan.
Dès le petit matin, on faisait "péter les boîtes", c'est-à-dire, exploser les pétards. Dans ce concert bruyant, on sortait la statue dorée de Sainte-Barbe, on la hissait sur les épaules des plus robustes, et, derrière elle, en cortège, les mineurs se dirigeaient à pas lents vers l'église pour la messe solennelle.
Celle-ci dite, mineurs, employés, ingénieurs se retrouvaient au coude à coude autour de longues tables pour manger la brioche chaude qu'arrosait un vin blanc vif. Suivaient quelques discours et des distributions de médailles du travail et de diplômes. Dehors, les boîtes pétaient sans relâche, on riait dans une chaude solidarité. La journée s'achevait dans les flonflons d'un bal.
La tradition s'est perdue. Certes, on fête toujours la Sainte-Barbe, mais la brioche est moins bonne, le vin moins frais et les pétards sont mouillés. Bref, le cœur n'y est plus.

Lichter am Sankt-Barbara-Tag

Die Erleuchtung der Zeche Couriot am Sankt-Barbara-Tag, Tag der Bergarbeiter, wird das sichtbarste und spektakulärste Zeichen der Ehrung sein, die dieser Zeche zuteil werden soll. Dafür erhielt Saint-Etienne den Preis für das am besten erleuchtete historische Denkmal.
Man sollte sich aber in Erinnerung rufen, wie einst der 4. Dezember gefeiert wurde.
Am frühen Morgen liess man Knallerbsen explodieren. Beim lärmenden Treiben wurde die vergoldete Statue von Sankt Barbara auf den Schultern der stärksten Kumpels herausgetragen, hinter ihr schritt der Bergarbeiteraufzug langsam zur Kirche.
Nach dem Hochamt versammelten sich Bergarbeiter, Angestellte, Ingenieure um lange Tische und tranken Schulter an Schulter herben Weisswein zum warmen Hefekuchen. Anschliessend wurden Reden gehalten und Verdienstmedaillen und Urkunden verliehen. Draussen knallte es ununterbrochen, man lachte in warmer Verbundenheit. Der Tag klang mit einem Ball aus.
Die Tradition ist verlorengegangen. Zwar wird der Barbaratag immer noch gefeiert, aber der Hefekuchen schmekt nicht mehr so gut, der Wein ist nicht mehr so kühl und die Knallerbsen sind nass. Kurz, die Lust ist vergangen.

The lights of "Sainte-Barbe" day

The first visible sign of this tribute paid to history through its recreation in the Couriot shaft occurs on "Sainte-Barbe" day, the miners' festival, when it is spectacularly illuminated.
This floodlighting brought to Saint-Etienne the reward of the best illuminated ancient monument.
All this, however, is not as good as the "4 décembre" of days gone by.
Up with the lark, you would have been busy letting off firecrackers. In this noisy crackling, the gilded statue of Sainte-Barbe would have been taken out of church, hauled up on the shoulders of the more robust men, and followed by the miners walking in a slow procession toward the church for a solemn Mass.
Once Mass had been said, miners, employees, engineers used to find themselves sitting shoulder to shoulder around long tables to eat warm brioche - a sort of bun -, "washed down"with bitter white wine. The meal was followed by some speeches and the awarding of long-service medals and diplomas. Firecrackers would ceaselessly bang outside. An atmosphere of hearty solidarity underhanded the bursts of laughter. The day ended with the blaring music of a dance.
The tradition died out. Sainte-Barbe day certainly remains a festival, but the brioche is not as tasty, the wine not as fresh, and sparks do not fly. In short, the heart is not in it any more.

La Salle des Pendus

A Couriot toujours, la "Salle des Pendus". Pas de cordes certes, mais des chaînettes métalliques qui tombent, en pluie fine, des hauteurs du plafond.
L'appellation historique de ce lieu tout à la fois vestiaire et salle de bains est "lavabo ouvrier".
Des espaces de ce type sont caractéristiques de l'industrie lourde et salissante. Celui de Couriot couvre une surface de 450 mètres carrés et était conçu pour 1050 mineurs.
Pourquoi "les Pendus" ? Parce que les ouvriers, lors de chaque poste de huit heures, ôtaient leurs vêtements personnels, les rangeaient dans des paniers d'où ils retiraient leurs effets de travail, puis remontaient les mêmes paniers jusqu'à la charpente grâce à une poulie de renvoi. Au retour, ils quittaient les "bleus", se douchaient dans une halle contiguë, se rhabillaient et remettaient les tenues de labeur dans le panier qui était alors remonté. La chaînette qui commandait les montées et les descentes des paniers était bloquée par un cadenas personnel.
Ce système, extrêmement économe en place décourageait, par ailleurs, les éventuels fouilleurs de poches.
Le lavabo ouvrier était un lieu important pour la sociabilité des mineurs. Ces derniers se lavaient à trois par douche car il fallait se frotter mutuellement et énergiquement pour chasser des peaux la poussière de houille.

Der Galgenraum

Dies ist immer noch die Zeche Couriot mit dem "Galgenraum". Keine Stricke zwar, aber kleine metallene Ketten, die von der Decke herunterregnen.
Die historische Bezeichnung für diesen Raum, der zugleich Umkleide-und Duschraum ist, lautet : "Arbeiterwaschraum".
Solche Räume sind typisch für die verschmutzende Schwerindustrie. Der auf der Zeche Couriot dehnt sich über eine Fläche von 450 Quadratmetern aus und war für 1050 Bergarbeiter vorgesehen.
Wieso "Galgenraum" ? Weil die Arbeiter bei jedem Schichtantritt ihre persönlichen kleider auszogen, die sie in Körbe legten, woraus sie die Arbeitskleidung genommen hatten. Die Körbe wurden dann mittels eines Flaschenzugs bis zum Gebälk hochgezogen. Beim Schichtwechsel zogen sie die Arbeitskleidung aus, duschten in einer anliegenden Halle, zogen sich wieder an, legten die Arbeitskleidung wieder in die Körbe, die aufs Neue hochgezogen wurden. Die Betätigungskette (zum Heben und Senken der Körbe) war durch ein persönliches Vorhängeschloss gesichert.
Dieses System, das extrem raumsparend war, schreckte ausserdem eventuelle Taschendiebe ab.
Der Arbeiterwaschraum war für die Geselligkeit der Kumpels wichtig. Diese duschten nämlich zu dritt, denn sie mussten einander den Kohlenstaub wegschrubben.

The hall of the hanged

Still in Couriot, the "Hall of the Hanged" displays, if not ropes, small metal chains drizzling overhead.
The historic terminology for this place serving both as a cloakroom and as a bathroom is "lavabo ouvrier", the workmen's sink.
Halls of this kind are typical of heavy and dirty industrial activities. The Couriot Hall covers a surface of 540 square yards and was planned for 1050 miners.
Why "the Hanged" ?... because workmen, at the beginning of their eight-hour shift, used to take off their personal clothes and put them away in baskets in which they took their work clothes before pulling the baskets back up again with the help of a return pulley.
They took off their overalls on their returning from the shift, had a shower in the adjoining hall, put their own clothes back on and their work ones back into the basket which was pulled up again.
The small chain which controlled the pulling up and down of the baskets was held up by a personal lock.
This system, which was extremely economical, had the side-advantage of deterring potential pickpockets.
The workmen's sink was an important place as regards the developing of sociability among miners. There were three of them washing together in each shower because the removing of coaldust from the skin involved vigourous mutual rubbing.

Lavabo ouvrier

Arbeiterwaschraum

Workmen's sink

Le destin de la Grande Dame

Manufrance. L'histoire en est bien douloureuse pour être refaite.
D'abord, le génie inventif d'un homme, Etienne Mimard. Sa volonté laborieuse, ses idées, ses audaces, ses fabrications universellement reconnues, ses méthodes avancées pour communiquer avant même que le mot ait pris son sens d'aujourd'hui.
Puis l'édification patiente d'un empire industriel et commercial, l'expansion continue, les richesses.
Un développement constant grâce à la vente par correspondance et à l'édition du Chasseur Français.
Puis, la crise impensable. Les premiers signes d'assoupissement face aux concurrences qui s'aiguisent. La Grande Dame connaît les sommeils de l'âge. Elle devient l'enjeu de luttes politiques. Elle écrit un feuilleton où des pages

Das schicksal der grossen dame

Manufrance. Ihre Geschichte ist zu schmerzlich, als dass man sie nachzeichnet.
Zu Beginn, der geniale Erfinder Etienne Mimard. Sein Wille zur Arbeit, seine Ideen, sein Wagemut und seine allgemein anerkannten Erzeugnisse, seine fortschrittlichen Kommunikationsmethoden, noch bevor das Wort seine heutige Bedeutung bekam.
Später der geduldige Aufbau eines Industrie- und Handelsimperiums, unaufhörliche Entwicklung, Reichtum.
Ein unaufhaltsames Wachstum, das dem Versandhandel und der Herausgabe der Zeitschrift "Chasseur Français" zu verdanken war (der französische Jäger).
Dann die undenkbare Krise. Die ersten Zeichen, dass die Firma angesicht der sich verschärfenden Konkurrenz den

The great lady's destiny

Manufrance... the history of this institution is painful to live through again.
In the beginning was the inventive genius of Etienne MIMARD, his industrious willpower, his ideas, his daring innovations, his world-wide acknowledged productions, his progressive methods to communicate before the term had been coined in its today's meaning.
The patient building-up of an industrial and commercial empire, the continous expansion, the growth in wealth followed then; the development proving constant thanks to mail-order sales and the publication of the "Chasseur Français" magazine.
The next step, however, was the coming to the unthinkable crisis, with the first signs of drowsiness in front of shar-

d'espoir alternent avec celles de l'agonie en marche.
Elle lutte, reprend quelques souffles, les reperd, et s'éteint enfin, exsangue sur ses cinq hectares du Cours-Fauriel.
Le site-symbole va ôter ses poussières avec un projet conduit par la Société d'Aménagement et de Réalisation d'Investissement.
Au centre de ce programme, un palais des congrès de 700 places, un hôtel trois fois étoilé, des bureaux, une galerie marchande, des appartements, un planétarium. Le dossier avance.

Manufrance

Anschluss verpasst hatte. Die Grosse Dame nickt ein, wie es sich für ihr Alter gehört. Sie wird zum Gegenstand politischer Kämpfe. Sie schreibt eine Fortsetzungsreihe, wo sich Hoffnung und fortschreitende Agonie abwechseln.
Sie kämpft, schöpft wieder Atem, verliert ihn von neuem und scheidet schliesslich dahin, ausgeblutet auf den fünf Hektaren am Cours-Fauriel.
Die Gesellschaft für Ausbau und Durchführung von Investitionenen entwirft ein Projekt, das dem symbolträchtigen Gelände zu einer neuen Blüte verhelfen soll.
Hauptpunkte des Programma sind: ein Kongress-Center mit siebenhundert Plätzen, ein drei-Sterne-Hotel, Büros, ein Handels-Center, Wohnungen, ein Planetarium. Die Planungsarbeiten gehen voran.

Manufrance

pening competitors. The ageing Great Lady lying dormant became the stakes in political conflicts, writing down a serial novel the pages of which kept chopping and changing from hope to slow death on the move.
She struggled, got her breath back, was soon out of it again, enventually passing away, a bloodless corpse on her 12 acres on the Cours Fauriel.
The S.A.R.I. - an investment trust for development - is currently conducting a project to remove dust from the symbolic tomb.
The project centres around converting it into a 700-seat lecture theatre, a three-star hotel, offices, a shopping arcade, flats, a planetarium.
The file is gaining ground.

Au fil de l'eau

Il court, il court le Furan... Mais on ne le voit plus ou presque plus couler à ciel ouvert.
Il dessine ses méandres sous le bitume.
Sa source jaillit dans le massif du Pilat et il s'enfle des eaux de plusieurs rus : le Chavanelet, le Merdary, le ruisseau des villes.
La truite y a nagé, et on lui accordait autrefois de belles vertus : le linge s'y lavait paraît-il, sans savon, et on trempait les armes blanches dans ses flots acides et sans calcaire. Des ateliers poussaient de part et d'autre de son lit où il galopait et sautait les pierres comme un torrent pur.
Enterré, caché, il n'est plus qu'un égoût souterrain et convoie du sud au nord de la ville, les eaux domestiques ou industrielles, les eaux fatiguées vers une station d'épuration où elles retrouvent une nouvelle fraîcheur.

Flussabwärts

Er fliesst, er fliesst der Furan...Aber man sieht ihn fast kaum mehr unter freiem Himmel fliessen.
Er windet sich unter dem Asphalt.
Er entspringt im Pilat-Massiv und das Wasser mehrerer Bäche : des Chavanelet, des Merdary, des Stadtbachs, lässt ihn anschwellen.
Forellen schwammen dort und man sagte ihm früher besondere Tugenden nach. Die Wäsche wurde darin ohne Seife weiss gewaschen, sagt man, und man härtete Stosswaffen in seinem sauren kalkfreien Wasser. Werkstätten entstanden auf beiden Ufern, zwischen denen er wie ein klarer Bergbach über die Steine stürzte.
Vergraben, versteckt, ist er nunmehr ein unteridischer Kanal, der die Haushalts-und Industrieabwässer vom Süden zum Norden der Stadt befördert und das belastete Wasser zu einer Kläranlage führt, wo es seine Frische wiederfindet.

Following the current

The Furan River ferrets about... but you can hardly see it flowing in the open air now in the open air.
It forms its meanders under the Tarmac.
Springing up in the Pilat Massif, the stream swells with the waters of various rivulets: the Chavanelet, the Merdary, the brook of towns.
Trouts did swim in it once. It was admitted in the past, that it had particular virtues: the washing would wash without the help of soap, it is said, and blade arms were quenched in its acid and limestone-free water. Workshops grew on either side of its bed wich it dashed through and skipped over the stones like a pure torrent.
Like something you sweep under the carpet, it is now a mere underground sewer, conveying waste and industrial water, worn water, from South to North toward a cleansing station to gain back freshness.

L'art de la gravure

L'arme n'en finit pas de sécher ses larmes. La plus ancienne des industries locales a subi de plein fouet les coups d'une impitoyable concurrence étrangère.
De cette activité, demeurent deux grands symboles: Verney-Carron et la Manufacture d'Armes de Saint-Etienne ; et un art : la gravure.
Spécialisée dans l'arme de chasse depuis 1920, la Société Verney-Carron a traversé les épreuves grâce à une innovation permanente, une gamme de modèles sans cesse adaptée et une haute qualité.
La Manufacture d'Armes de Saint-Etienne (M.A.S.) a équipé l'armée française avec le fameux "Clairon". Elle s'oriente vers les marchés de la protection civile : équipements de détection nucléaire, masques, tout en poursuivant des productions plus traditionnelles : lance-roquettes, tourelles pour blindés.
L'art, c'est donc la gravure. Saint-Etienne en demeure la capitale. Dans quelques petits ateliers, le burin et l'échoppe dansent encore dans les mains de graveurs formés à l'Ecole des Beaux-Arts et qui ont accroché aux murs leurs diplômes de Meilleurs Ouvriers de France.
Saint-Etienne n'a pas oublié qu'à un moment de son histoire, elle s'est appelée Armeville. Un salon de ce nom fait régulièrement feu pour assurer la promotion de la fabrication locale qui résiste, lutte et entend bien ne pas tirer ses dernières cartouches.

Die Gravierkunst

Das Leid der Waffenindustrie ist noch nicht zu Ende. Die älteste der hiesigen Industrien hat die ganze Härte der erbarmungslosen ausländischen Konkurrenz zu spüren bekommen.
Von diesem Beschäftigungsbereich bleiben zwei grosse Namen - Symbole : Verney-Carron und die Manufacture d'Armes de Saint-Etienne (Waffenmanufaktur von Saint-Etienne) ; und eine Kunst : die Gravierkunst.
Seit 1920 auf Jagdwaffen spezialisiert, hat die Firma Verney-Carron die schweren Zeiten erfolgreich überstanden, dank einer ständigen Neuerung, einer immer wieder angepassten Modellkollektion ebenso wie einer hohen Qualität.
Die Waffenmanufaktur von Saint-Etienne (M.A.S.) hat die französische Armee mit dem berühmten "clairon" ausgerüstet. Sie wendet sich jetzt dem Markt des Zivilschutzes zu : Ausstattung für den Radioaktivitätsnachweis, Schutzmasken, ohne die traditionelle Produktion zu vernachlässigen : Panzerfäuste, Panzertürme.
Die Kunst steckt also im Gravieren. Saint-Etienne bleibt in dieser Hinsicht die Hauptstadt. In ein paar kleinen Werkstätten tanzen noch der Meissel und die Radiernadel in den Händen der Graveure , die in der Akademie der Künste ausgebildet werden und die ihre Urkunden als "Beste Facharbeiter Frankreichs" an die Wände gehängt haben.
Saint-Etienne hat nicht vergessen, dass es eine Zeit lang in seiner Geschichte "Armeville" (Waffenstadt) geheissen hat. Eine Messe dieses Namens wird regelmässig abgefeuert, um die hiesige Produktion zu fördern, die trotz allem widersteht, kämpft und nicht die Absicht hat, ihre letzten Patronen zu verschiessen.

The art of engraving

The arms industry laid down its arms. Ruthless foreign competition blew great guns over the oldest local industry.
Two great symbols remain from this activity : Verney-Carron and the Manufacture d'Armes de Saint-Etienne, as well as an art: engraving.
Verney-Carron, specialised in hunting weapons since 1920, survived the ordeal thanks to constant innovations, a line of models always adjusted, and a high degree of quality.
The Manufacture d'Armes de Saint-Etienne - M.A.S. - equipped the French armed forces with the famous "Clairon". It has now turned to the civil protection market: nuclear detection equipment, masks, as well as more traditional productions: rocket launchers, gun turrets for tanks.
Engraving is the Saint-Etienne art. You can still see in a few small workshops, engraving tools, like the burin, waltz in the hands of engravers trained at the Ecole des Beaux-Arts; on the walls of these, you find their diplomas of Best Workers in France.
It is never to be forgotten in Saint-Etienne that the town has once been called "Armeville" - Armstown - for some time. An exhibition is regularly held to ensure the promotion of local manufacturing, an activity withstanding adversity, struggling to survive, and eager not to blow its last cartridges.

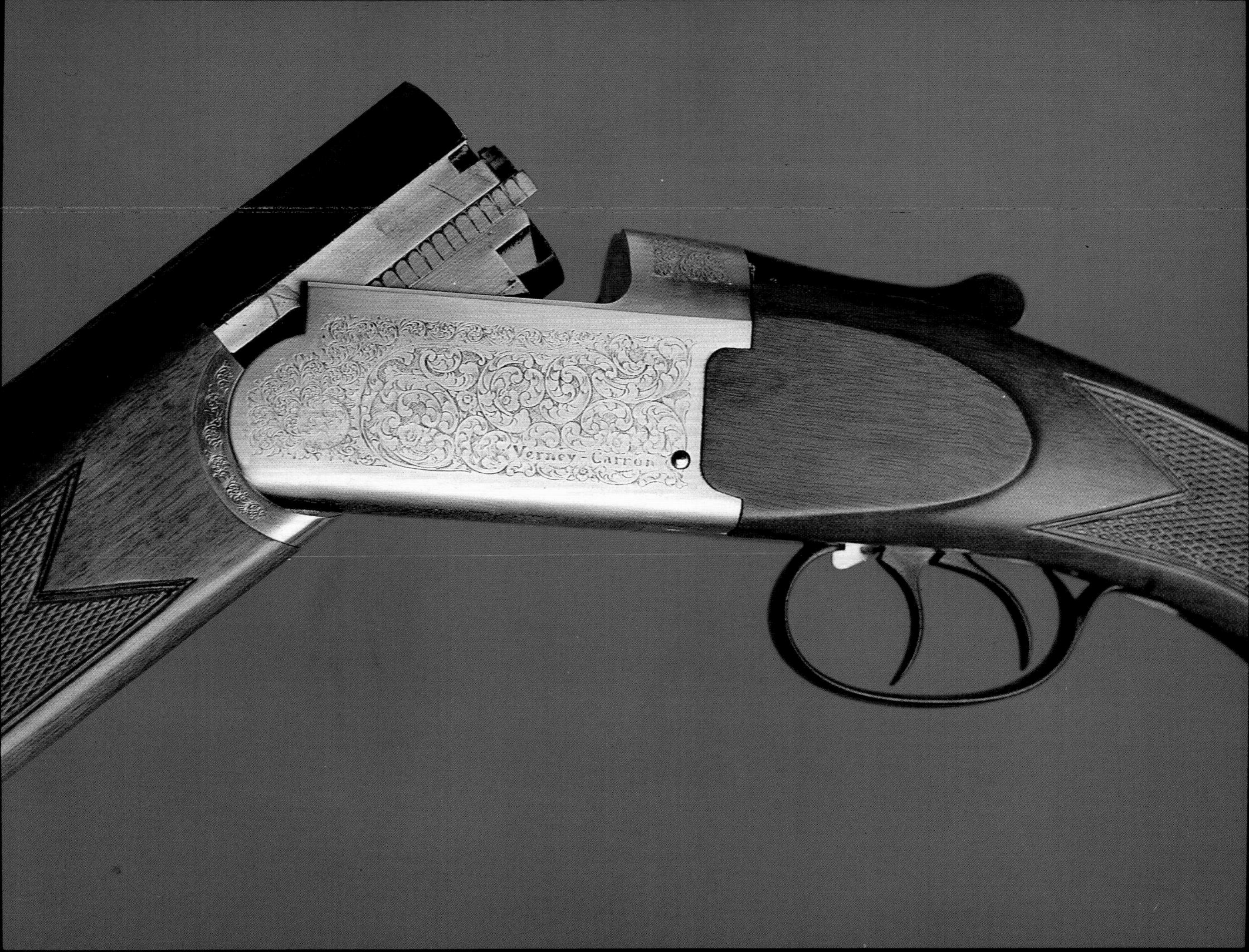
Verney - Carron

La chanson de la navette

"On n'entend plus ta chansonnette
Dans le ramage du métier
Dormirais-tu douce navette
Quand chôme le passementier
Va ! Va ! ma petite navette
Va ! Va ! le bon temps reviendra

Au temps fortuné de la presse
Du jacquard, de l'envers-satin
Contemplant ta vive caresse
Il fredonnait dès le matin

La mode, hélàs, est bien volage
Nous n'avons plus de chargement
Pour les fuseaux et l'enfilage
Rien à faire en ce dur moment

Espérons, ma frêle navette
Confidente des travailleurs
Que reviendra ta chansonnette
Avec l'aube des jours meilleurs".

Rien à ajouter.
Elle dit tout, cette chanson-là. Tout sur la passementerie qui fut fleuron. Et les jours plus heureux qu'elle annonce commencent à se lever.
Et si quelques fabrications traditionnelles reprennent du galon, des produits nouveaux ont saisi le relais : ceintures médicales, pansements, rubans adhésifs, sangles élastiques, étiquettes.

Das Lied des Weberschiffchens

"Man hört nicht mehr dein Liedchen
Wenn der Webstuhl plappert
Schläfst du etwa, süsses Schiffchen
Wenn es mit den Aufträgen hapert
Nur Mut, kleines Schifflein
Auf Regen folgt Sonnenschein

In der glücklichen Zeit, da es noch gab
Brokat und Jacquardpressen
Schaute der Weber auf dein reges Treiben
Und brachte sich singend auf Trab

Auf Mode ist kein Verlass schon lange her
Wir haben, ach, keine Ladung mehr
Für Spindeln, zum Einfädeln, keine Arbeit
Nichts zu tun in dieser harten Zeit

Hoffen wir, mein zartes Schiffchen,
Dem die Arbeiter alles anvertrauen
Dass bald ein heiterer Tag anbricht
Und dein Liedchen wieder erklingt".

Ohne Kommentar.
Dieses Lied sagt alles. Alles über die Bandweberei, die einst in Blüte stand. Und die glücklicheren Tage, die es ankündigt, zeichnen sich ab.
Und wenn einige herkömmliche Fabrikationen wieder schwarze Zahlen schreiben, setzen neue Erzeugnisse die Tradition fort: medizinische Gurte, Verbände, Klebebänder, elastische Gurte, Etiketten.

The shuttle song

"I cannot hear thy song any more
In the warbling of the loom
Art thou asleep sweet shuttle
When the haberdasher is idle
Come on ! sweet little shuttle
Come on ! good times shall return

In the fortunate times of the press
Of the Jacquard weave, of brocade,
Gazing upon thy brisk caress,
He would have been humming since daybreak

Fashion, alas, is fairly fickle
We are missing supplies
For the spindles and the threading
Nothing to do in these hard times

Let us hope, frail shuttle of mine,
The confidant of workers,
That thy song shall return one day
At the dawn of better days".

There is nothing to add.
This song tells everything: everything about haberdashery which was the fine jewel, everything about the happier days it heralds and which are just breaking.
A few traditional productions are getting their stripes again although new products took over from this activity: medical belts, bandages, adhesive tapes, elastic straps, labels.

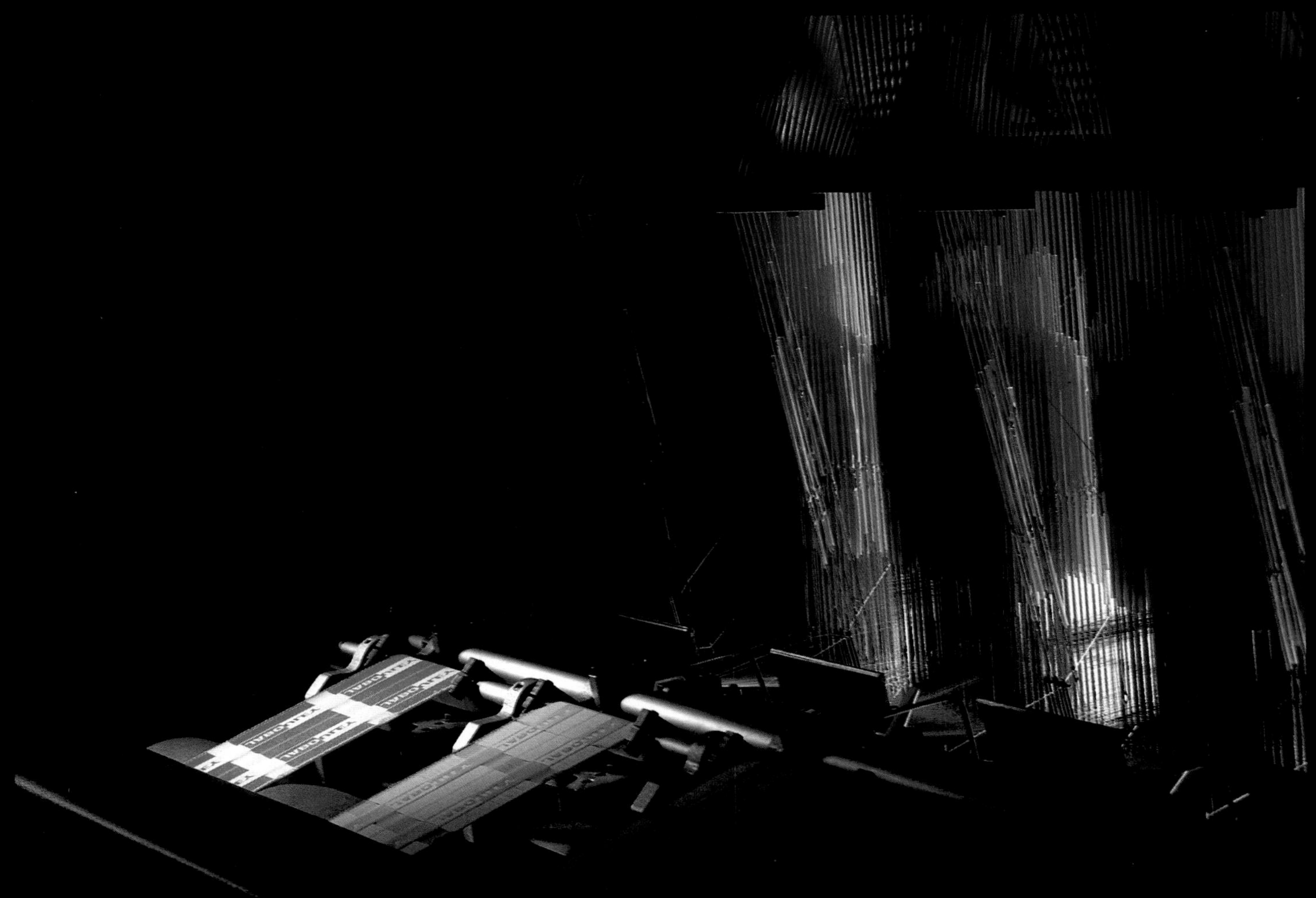

La marque CASINO

Six lettres de couleur rouge au graphisme qui s'enroule en lettres rondes portent loin et haut le nom de Saint-Etienne.
Six lettres qui écrivent CASINO. Six lettres à toutes les vitrines de la distribution : simples succursales de village ou de quartiers, magasins Géants, Super et Hypermarchés.
Exemplairement structurée, la société a gardé un caractère familial. Les associés gérants qui la dirigent sont les descendants directs du fondateur Geoffroy-Guichard.
C'est lui qui, en 1892, prit en mains les tiroirs de l'épicerie que son oncle avait ouvert dans les locaux d'un ancien casino-théatre lyrique. C'est lui qui, en 1898, créa la Société des Magasins du Casino et installa la première succursale dans la Plaine du Forez. C'est encore lui qui construisit, rue de la Montat, les premiers dépôts. Et dans le même temps, les succursales se multiplient, l'expansion avance et franchit les frontières du département de la Loire. Le premier supermarché ouvre ses portes en 1960 à Grenoble, la première cafétéria en 1967 à Saint-Etienne, le premier hypermarché, en 1970, à Marseille. En 1976, Casino s'implante aux U.S.A. avec une chaîne de cafétérias. 1978 : diversification vers le bricolage. 1984 : prise de participation de 50 % dans Hippopotamus. En 1986, Casino réunit 7000 de ses collaborateurs pour tracer le plus grand logo humain sur la pelouse du Stade Geoffroy-Guichard.
Parmi d'autres, autant d'étapes, autant de dates qui ont écrit la marque Casino.

Die Marke "CASINO"

Sechs rote Buchstaben in runder Schrift machen den Namen von Saint-Etienne weit und breit bekannt.
Sechs Buchstaben, die den Namen CASINO schreiben. Sechs Buchstaben in allen Schaufenstern der Ladenkette : von einfachen Zweiggeschäften auf dem Dorf oder in Stadtvierteln bis zu den Super-, Gigant-, Hypermärkten.
Musterhaft strukturiert hat die Firma den Charakter eines Familienunternehmens bewahrt. Die zusammengeschlossenen Co-Manager, die sie leiten, sind direkte Nachkommen des Gründers Geoffroy-Guichard.
Er war es, der 1892 die Kasse des Lebensmittelladens übernahm, den sein Onkel in den Räumen eines ehemaligen Casinos und lyrischen Theaters eröffnet hatte. Er gründete auch 1898 die "Société des Magasins du Casino" (Gesellschaft der Casino-Geschäfte) und richtete das erste Zweiggeschäft in der Forez-Ebene ein. Er baute auch in der Montatstrasse die ersten Lager. Gleichzeitig wächst die Zahl der Filialen, das Unternehmen erlebt einen grossen Aufschwung und überschreitet die Grenzen des Departements Loire. Der erste Supermarkt öffnet seine Türen 1960 in Grenoble, die erste Cafeteria 1967 in Saint-Etienne, der erste Hypermarkt 1970 in Marseille. Im Jahre 1976 lässt sich Casino mit einer Kette von Cafeterien in den USA nieder. 1978 Ausweitung auf Bastlerbedarf. 1984 : 50 % Beteiligung an Hippopotamus (Restaurantkette). 1986 versammelt Casino 7000 Mitarbeiter, um das grösste menschliche Logo auf dem Rasen des Geoffroy-Guichard Stadions zu bilden.
Das sind nur ein paar von den Etappen, von den Daten, die die Marke Casino mitgestaltet haben.

The CASINO brand

Six scarlet letters coiling up into stylized round letters carry the fame of Saint-Etienne in the distance and to the top.
The six letters read CASINO; the six letters are on display all over the distribution market: simple branches in villages or quarters, "Géant" department stores, super- and hypermarkets.
The company, with an exemplary structure, kept its family feature and the partner managers running it are the direct descendants of the founder, Geoffroy-Guichard.
He it is who, in 1892 took control of the drawers of the grocery store which his uncle had set up on the premises of a former casino-opera house. He it is who, in 1898, created the "Société des Magasins du Casino" and settled the first branch in the Forez Plain. He it is again who built the first warehouses on the Rue de la Montat. Meanwhile, branches multiplied, expansion stepped forward and crossed the boundaries of the Loire County. The first supermarket opened in 1960 in Grenoble, the first cafeteria in 1967 in Saint-Etienne, the first hypermarket in 1970 in Marseille. In 1976 Casino established a chain of cafeterias in the U.S.A. 1978 marked the diversifying into Do-It-Yourself materials. 1984 is the year when the trust acquired a 50 % interest in Hippopotamus. In 1986 Casino brought together 7,000 members of the staff to draw the biggest-ever human logo on the pitch of the Geoffroy-Guichard stadium.
Such are, among others, the stages and the dates which read the Casino brand.

Une succursale Casino

Eine Casinozweigstelle

A Casino branch

Créer et innover

En toute lucidité, Saint-Etienne s'est placée dans la course aux technopoles en conduisant une exemplaire opération structurante dans le cadre d'une politique en faveur de l'immobilier industriel.
Un technopole, c'est d'abord un atout dans la compétition à laquelle se livrent les métropoles européennes. L'ensemble stéphanois a cinq orientations fondamentales :

— chercher de nouveaux outils.
— concevoir des machines.
— former des hommes.
— créer de nouveaux débouchés.
— permettre et faciliter l'implantation de nouvelles entreprises.

En clair, innover par le renouveau industriel stéphanois.
Au coeur de ce technopole de huit hectares, la Maison de la Productique.
Seule maison de ce type en France, elle est tout à la fois un lieu de rencontres entre partenaires industriels pour faciliter la réalisation d'un projet productique, un lieu permettant de renforcer les transferts de technologies entre organismes de recherche et secteurs industriels, un espace de démonstration pour les utilisateurs potentiels des différents systèmes possibles d'automatisation.
Enfin, un endroit privilégié pour la formation de l'ensemble des acteurs concernés par la productique.

Schaffen und Erneuern

Indem Saint-Etienne auf beispielhafte Weise neue Strukturen im Rahmen einer Politik zugunsten der Industrieanlagen geschaffen hat, hat sich die Stadt ganz bewusst einen Spitzenplatz unter den Technologieparks erobert.
Ein Technologiepark ist zuallererst ein Trumpf im Konkurrenzkampf, den sich die europäischen Grosstädte liefern. Der Raum Saint-Etienne hat fünf Grundrichtungen :

— Neue Werkzeuge suchen ;
— Maschinen entwerfen ;
— Menschen aufstellen
— Neue Absatzmärkte erschliessen;
— Die Niederlassung neuer Unternehmen zu erlauben und zu erleichtern.

Klar ausgedrückt, durch die Modernisierung der Produktionsmittel im Raum Saint-Etienne Neues zu schaffen.
Im Herzen dieses Technologieparks von acht Hektar, das Haus der Produktik, das einzige Haus dieses Typs in Frankreich : Es ist zugleich ein Treffpunkt für Industriepartner, um die Verwirklichung eines Produktik-Projekts zu erleichtern, ein Ort, der den Technologietransfer zwischen Forschungsorganismen und Industriesektoren zu intensivieren erlaubt, ein Vorführraum für die potentiellen Benutzer der verschiedenen, denkbar möglichen Automatisierungssysteme.
Und endlich ein günstiger Ort für die Ausbildung sämtlicher an der Produktik Beteiligten.

Creation and innovation

Saint-Etienne, in a clear-minded way, placed itself well into the technopolises race by conducting an exemplary structuring operation within the context of a policy in favour of industrial real estate.
A technopolis is above all an asset in the competition between the European metropolises. The Saint-Etienne scheme has five basic targets:

— probing for new tools,
— devising machines,
— training men,
— opening new outlets,
— enabling and facilitating the establishment of new companies,

in other words, innovating through the industrial Saint-Etienne revival.
At the centre of this 20-acre technopolis you find the Maison de la Productique: as the only institution of this kind in France, it is at the same time a meeting place for industrial partners to facilitate the implementation of a project in "Productique" - the computeraided rationalising of automated production -, and a place allowing to back up technological transfers between research bodies and the industrial sectors, a show-place for the potential users of various potential automation systems... and finally the privileged premises for training all people that are active in the field of "Productique".

RUE
DE LA PRODUCTIQUE

Implanter une Université à Saint-Etienne n'a pas été une mince affaire. Proche, celle de Lyon avait ses traditions, son passé, ses rayonnements. Pour courageux et décidés, les premiers pas furent plutôt laborieux au début des années 60.

Les pionniers ? En 1962, des étudiants en droit, une solide vingtaine, qui, hébergés dans un lycée, recevaient les cours d'enseignants venus de ...Lyon. A cet embryon de Centre Juridique, s'ajoutèrent, au fil d'années marquées par des démarches obstinées, des Centres Littéraire et Scientifique, un Institut Universitaire de Technologie.

Enfin, le 27 mars 1969, un arrêté du Ministre de l'Education Nationale constitua l'acte officiel de la naissance de l'Université de Saint-Etienne. L'aventure sortait des dossiers et commençait sur le terrain même.

Les volontés et les enthousiasmes se rencontrèrent pour avoir raison des difficultés et Saint-Etienne vit désormais en ville universitaire, jeune mais à part entière.

Plus de 9000 étudiants et un enseignement complet. Arts, communication et pédagogie ; droit et sciences économiques ; gestion, administration et langues étrangères appliquées ; lettres, langues et sciences humaines ; médecine et sciences de la santé ; sciences et techniques.

L'Université stéphanoise a franchi les barrages et évolue désormais parmi l'élite.

Saint-Etienne als Standort für eine neue Universität zu bestimmen war kein Kinderspiel. Die nahe Lyoner Universität hatte ihre Traditionen, ihre Vergangenheit, ihre Ausstrahlung. So mutig und entschlossen die Pioniere auch waren, für sie waren die ersten Schritte am Anfang der 60er Jahre doch eher mühsam.

Die Pioniere ? 1962 hörten gut zwanzig Jurastudenten, in einem Gymnasium untergebracht, die Vorlesungen von Hochschullehrern aus... Lyon. Zu diesem Kern der Juristischen Fakultät kamen noch im Laufe der durch hartnäckigen kampf gezeichneten Jahre die Philologische und die Wissenschaftliche Fakultät sowie eine Technische Hochschule.

Schliesslich wurde durch einen Erlass vom 27. März 1969 des Kultursministers die Universität von Saint-Etienne offiziell gegründet. Das Abenteuer ging von den Akten auf das Gelände über.

Der Wille und die Begeisterung mehrerer Menschen trafen sich und überwanden die Schwierigkeiten ; seitdem lebt Saint-Etienne als eine zwar junge, aber vollwertige Universitätstadt.

Mehr als 9000 Studenten und ein vollständiges Unterrichtsprogramm. Bildende Künste, Kommunikation und Pädagogik ; Jura und Wirtschaftswissenschaft ; Betriebswirtschaft, Verwaltung und angewandte Fremdsprachen ; Philologie und Geisteswissenschaften ; Medizin und verwandte Bereiche ; Wissenschaft und Technik.

Die Universität von Saint-Etienne hat die Hürden genommen und gehört seitdem zur Elite.

Establishing a university in Saint-Etienne was no easy task because of the proximity of the Lyon's one, with its traditions, its past, its influence. Courageous and brave as they may have been, the first steps were rather painstaking in the early 1960's.

Pioneering this establishment were law students, a good twenty of them, who, in 1962, were accomodated in a high-school and attended lectures given by lecturers coming from...Lyon. Arts and Science Colleges, an I.U.T. - a polytechnic -added to this embryonic Law College, in years of dogged procedures.

At last, an order from the Minister for National Education constituted the official certificate of the setting-up of the University of Saint-Etienne...adventure had come out of the red-tape and had begun on the ground.

Determination and enthusiasm were at one to overcome the difficulties and Saint-Etienne now enjoys the statuts of University town; a young University it is indeed, but a full one, a real entity.

It is attended by over 9,000 students and offers a complete range of subjects: arts, communication, and teacher-training; law and economics;-management, administration, and applied foreign languages; arts-and-literature, arts languages, and human sciences; medecine and health sciences; pure and applied sciences.

The Saint-Etienne University got over the obstacles and ranks now among the élite.

à l'I.U.T

an der Technischen Hochschule

at the I.U.T.

Au temps de l'Europe en marche, l'Université est une grande entreprise qui a une double influence sur la ville et ses avenirs.
L'influence est économique. 700 salariés permanents, 600 vacataires, un budget de 50 millions de francs, 60 000 m² de surfaces bâties et 220 000 m² de non bâties.
L'influence est intellectuelle. Les facultés retiennent et attirent les matières grises, fixent et suscitent l'industrie, ouvrent sur la recherche et les relations internationales.
Mais, il y a une troisième influence. Elle ne se mesure pas, ne se chiffre pas. Elle s'estime seulement car elle tient de l'esprit et relève de l'ambiance.
Les étudiants, ici comme partout ailleurs, ne sont pas tristes. Ils ne passent pas les jours et les nuits à sa gratter les méninges dans la mélancolie des amphithéâtres.
Ils savent et aiment sortir, bouger, danser, chanter, occuper les cinémas, les théatres et les stades. Ils savent provoquer les progrès, secouer les habitudes. Leur présence dans les rues, les cafés, les concerts et les discothèques souffle l'air de la jeunesse.

In der Zeit des sich herausbildenden Europas ist die Universität ein grosses Unternehmen, das einen doppelten Einfluss auf die Stadt und ihre Zukunft ausübt.
Einen wirtschaftlichen Einfluss zuerst. 700 Festangestellte, 600 freie Mitarbeiter, ein Etat von 50 Millionen Francs, 60 000 m² bebaute Fläche und 220 000 m² unbebaute Fläche.
Einen geistigen Einfluss dann. Die Fakultäten halten die intellektuelle Elite zurück und ziehen sie an, sie binden die Industrien und fördern ihre Entstehung, sie öffnen sich für die Forschung und die internationalen Beziehungen.
Aber es gibt auch einen dritten Einfluss. Er lässt sich weder messen noch beziffern. Er lässt sich nur abschätzen, denn er kommt vom Geist und rührt von der Stimmung her.
Hier wie überall sind die Studenten nicht traurig. Sie verbringen ihre Tage und Nächte nicht damit, sich den Kopf zu zerbrechen in der Melancholie der Hörsäle.
Sie gehen gern aus, bewegen sich, tanzen, singen gern, füllen die Kinos, die Theater und die Stadien und können es. Sie wissen, wie man Fortschritte hervorruft und an den Gewohnheiten rüttelt. Ihre Anwesenheit auf den Strassen, in den Cafés, in den Konzerten und Diskotheken bringt den Hauch jugendlicher Frische.

At the time when Europe is on the mov
the University forms a great enterpris
with a twofold influence both on th
town and on its prospects.
Its influence is first of an econom
nature: 700 permanent salarie
employees, 600 employees on-contrac
a 500-million-Franc budge
660,000 square yards of develope
surface, and 55 acres of undevelope
surface.
Its influence is of an intellectual natu
as well: the colleges retain and attra
brains, settle and prompt industrie
open onto research and internation
relations.
There is a third influence, though, or
you can neither weigh up nor asse
with figures. Its appraisal falls with
the province of spirit and atmosphere
As everywhere else, students here a
no blue devils, they do not spend da
and nights racking their brains in t
cheerlessness of lecture theatres.
They know how to, and enjoy, going o
moving, dancing, singing, fillin
cinemas, theatres and stadiums. Th
know how to initiate progress, shake
habits. Their presence in the streets,
cafés, at concerts and in discothèqu
breathes young life into the town.

La maison de la recherche

Cours Fauriel, la célèbre Ecole des Mines. Elle a été instituée par ordonnance royale du 2 août 1816. A l'origine, on y était admis avec "les seules connaissances qu'on acquiert dans les écoles communales". Les temps ont changé.
Son premier directeur fut Louis-Antoine Beaunier. Son nom est resté dans l'histoire car c'est lui qui, en 1827, mit sur les rails le premier chemin de fer français entre Saint-Etienne et Andrézieux. Il s'agissait de transporter le charbon vers la Loire.
Des promotions et des promotions de "mineurs" sont sorties de l'établissement avec un bel uniforme et un parchemin qui faisait référence.
Aujourd'hui, l'Ecole demeure en pointe avec plusieurs options : Matériaux, Génie Industriel, Industries Minérales, Géologie, Génie géologique, Gestion, Informatique. Ses 300 élèves sont résolument engagés sur le terrain de l'industrie et de la recherche à travers des contrats avec de grandes entreprises et des établissements nationaux.
Une autre école a sa place aux soleils des laboratoires : celle d'Ingénieurs de Saint-Etienne (ENISE). Elle reçoit chaque année, 350 élèves et 1300 auditeurs à qui elle donne de solides formations techniques.

Das Haus der Forschung

Cours Fauriel, die berühmte Bergbauhochschule. Sie wurde durch die königliche Verordnung vom 2. August 1816 gegründet. Ursprünglich wurde man dort nur mit den Kenntnissen, die man sich in den Gemeindeschulen angeeignet hatte, zugelassen. Die Zeiten haben sich geändert.
Ihr erster Direktor war Louis Antoine Beaunier. Sein Name ist in die Geschichte eingegangen, denn 1827 hat er die erste französische Eisenbahn auf die Gleise zwischen Saint-Etienne und Andrézieux gestellt. Es galt, Kohle bis zur Loire zu befördern.
Viele, viele Jahrgänge von "Bergleuten" sind aus der Lehranstalt hervorgegangen, in einer schönen Uniform und mit einer Urkunde, auf die man sich berufen konnte.
Heute bleibt die Hochschule an der Spitze mit mehreren Studienrichtungen : Werkstoffe, Industrietechnik, Montanindustrie, Geologie, Abbautechnik, Betriebswirtschaft, Informatik. Ihre 300 Studenten machen sich dank Verträgen mit den grossen Unternehmen und den Staatsbetrieben mit der Praxis der Industrie und der Forschung vertraut.
Eine andere Schule hat ihren Platz unter den Lichtern der Laboratorien : die Ingenieurschule von Saint-Etienne (ENISE). Sie nimmt jedes Jahr 350 Studenten und 1300 Hörer auf, denen sie eine solide technische Ausbildung anbietet.

The hothouse of research

On the Cours Fauriel, the famous "Ecole des Mines". The college was instituted by a Royal edict dated 2nd August, 1816. Originally, students were admitted on their producing "the mere knowledge gained in local primary schools". Times have changed.
The first principal of the college was Antoine Beaunier. His name is remembered in history for putting on the rails the first railroad between Saint-Etienne and Andrézieux to convey coal to the Loire River.
Years and years of "miners" came out of the establishment in the smart uniform and with the diploma which was such a prestigious reference.
The college remains at the pinnacle nowadays with a scope of options: Materials, Industrial Engineering, Inorganic Industries, Geology, Geological Engineering, Management, Computer Sciences. Its 300 undergraduates have resolutely turned towards industry and research through contracts with big companies and national institutions.
Another engineering college finds its place under the suns of the laboratories: the ENISE, Ecole Nationale des Ingénieurs de Saint-Etienne, which takes in 350 students and 1,300 students on a Further Education programme who acquire here substantial technical training.

ÉCOLE NATIONALE SUPÉRIEURE DES MINES
BEAUNIER
BOUSSINGAULT
FOURNEYRON
DE VILLAINE
STATIONNEMENT
STATIONNEMENT

des Beaux-Arts

Comme à dessein, l'Ecole de dessin a été ouverte en 1859 dans un cadre propre à donner bonne mine aux crayons. Des escaliers en étages, des rocailles, des jardins lancés à l'assaut d'une colline.
On ne dit plus ou presque plus "école de dessin", elle est "Ecole des Beaux-Arts". Et si les enseignements plastiques demeurent au programme, elle s'est largement ouverte sur la communication et le design. Le nu s'y croque encore un peu mais s'éclipse derrière les clips vidéo.
Un beau programme de rénovation du bâtiment a été conduit. Il a donné des espaces nouveaux dont une salle d'exposition plantée dans une ancienne et très lumineuse serre. Voilà qui permet aux élèves d'afficher leurs travaux, de les confronter à d'autres venus d'ailleurs, de les enrichir.
Les soirs de vernissage, la Serre est un haut lieu de la couleur. Elle est partout. Aux murs et dans...les cheveux. Car les étudiants des Beaux-Arts l'aiment tellement cette couleur, qu'ils s'en peignent en même temps qu'ils transmettent à la ville les teintes éclairées de leur jeunesse et les formes turbulentes de leurs créations.
La tradition d'être hors des traditions en demeure une.

der bildenden Künste

Wie absichtlich wurde die Zeichenschule 1859 in einem Rahmen eröffnet, der geeignet war, den Stiften eine gute Miene zu geben. Treppen mit Absätzen, Steingärten, Gärten, die einen Hügel erstürmen.
Man sagt nicht mehr, oder fast nicht mehr "Zeichenschule", sie ist nun "Akademie der bildenden Künste". Und obwohl der Kunstunterricht auf dem Programm bleibt, hat sie sich der Kommunikation und dem Design weit aufgeschlossen. Man macht dort noch Aktzeichnungen, die aber dem Videoclip weichen.
Ein schönes Renovierungsprogramm des Gebäudes wurde durchgeführt. Es hat neue Räume geschaffen, darunter einen Ausstellungssaal in einem früheren, sehr hellen Treibhaus. Das erlaubt den Studenten, ihre Arbeiten auszustellen, sie mit auswärtigen zu konfrontieren und sie zu bereichern.
Auf den Vernissagen ist das Treibhaus ein Reich der Farbe. Sie ist überall. An den Wänden und in den Haaren. Denn die Kunststudenten mögen diese Farbe so sehr, dass sie sich gleichzeitig selber bemalen und die hellen Farben ihrer Jugend und die turbulenten Formen ihrer Werke auf die Stadt übertragen.
Die Tradition, ausserhalb der Traditionen zu stehen, lebt weiter.

of the fine arts

Purposely enough, the drawing-scho
was opened in a setting appropriate
inspire sketch-addicts: flights of stair
rocks, gardens struggling up the hill.
It is not called a "drawing-school" ar
more, or almost not; its name is the "A
School" and whilst the plastic subjec
remain set ones, it has widely opene
on communication and desig
Although nude-sketching is still topica
it tends to eclipse behind video-clips.
A great renovation scheme of th
building has been conducted, fitting
up with new spaces, among which
show-room set up in an old, ve
luminous greenhouse. This enable
students to pin up their works, to colla
them with others from elsewhere,
polish them.
On exhibition preview evenings, th
Greenhouse becomes the village gree
of colour; colour is everywhere...Colo
you find hanging on the walls, colou
you find in the hair because Art Scho
students like colour to such an exte
that they paint themselves with
conveying in the same time the brig
colours of their youth and the boisterou
forms of their creations across the tow
The tradition of standing out
traditions remains traditional

n

du Forez, à
usée d'Art
d'un long
longe ses
jardin de
portes sur
positions,
s de clarté.
20 ans de
Palais des
it plus un
la présen-
dimension
ar ailleurs
ouhaits et
matière de
lucation. Il

e Didier
sée a été
37.
la compa-
ensembles
gladbach.
as le fait du
gnage des
servateurs

'est Saint-
premières
'pop'' et
un musée

e qui a plus
nnier, les
e et celles
nds.

Ein europäisches Museum

Auf der Schwelle zur Forez-Ebene, an der Nordausfahrt der Stadt, nimmt das Museum für Moderne Kunst die Gestalt eines langen schwarz-weissen Dambretts an, von dem aus der Blick über 54 000 m² Grünanlagen schweift. Auf 6 000 m² bietet es hohe, weisse und lichtdurchflutete Ausstellungsräume.

Nach 120 Jahren guter Dienste war der zwar ehrwürdige, frühere "Palast der Künste" der Stadtmitte kein passender Schrein mehr für eine Ausstellung europäischen Ausmasses. Er war ausserdem nicht in der Lage, den Ansprüchen der Besucher Rechnung zu tragen, hinsichtlich des Komforts, der Führung oder der Erziehung. Man brauchte einen neuen Rahmen.

Das neue Museum wurde vom Architekten Didier GUICHARD entworfen und am 10. Dezember 1987 eingeweiht. Sein Baustil steht dem der berühmter Bauwerke von Eindhoven oder Mönchengladbach nicht nach.

Das war natürlich kein Zufall, sondern zeugt von den Entscheidungen der einander folgenden Konservatoren.

Zu Anfang der 70er Jahre hat Saint-Etienne die ersten "Pop-" und "Minimal" -Werke erworben, die in ein französisches Museum Einlass gefunden haben.

Danach hat Saint-Etienne kürzlich, und das war wieder eine Pioniertat, Werke der freien Darstellung und des deutschen Realismus aufgekauft.

A european Museum

On the edge of the Forez Plain, at t
Northern exit of the town, the Museu
of Modern Art takes the shape of a lo
draughtboard. Its perspectives stret
in the greenness of a 14-acre gard
and it opens its doors on 7,000 sq yar
of showrooms that are high-ceilinge
white-walled and flooded with light.
However venerable the old "Palais d
Arts" in the centre of the town mig
have been after 120 years of good a
faithful services, it had become
inadequate casket for the presenting
a Europe-dimensional collection. Wh
turned out, besides, is that the o
museum had grown unable to respo
to the wishes and demands of visitors
regards comfort, animation
education.
Signed by the architect Didi
GUICHARD, the new museum w
inaugurated on the 10th Decemb
1987.
The architecture of it is worthy
museographic institution that preva
in the art of the 20th century and bea
the comparison with the famo
architectural creations of Eindhov
and Mönchengladbach.
This is obviously not a random shot a
it testifies to the options taken by t
successive curators.
It is under their aegis that Saint-Etien
purchased, at the dawn of the 1970
the first "pop" and "minimal" Americ
productions entering a Fren
museum...
and the same thing happened aga
when Saint-Etienne pioneered
buying works of free figuration a
works by German realistic artists.

Régulièrement complétée et enrichie, la collection stéphanoise du XXème siècle constitue l'une des quatre grandes représentations françaises d'art moderne.
Elle est surtout remarquable par un ensemble de peintures et de sculptures des années 50 et 60.
De Picasso à Baselitz, en passant par Dubuffet, Fautrier, Magnelli, Hélion, Warhol, Stella et Fernand Léger, s'offre aux yeux un panorama de la création artistique de notre temps.
Dans cette aventure muséographique engagée par la ville, est à relever le geste de mécène accompli par le Casino. L'entreprise de distribution ancrée à Saint-Etienne s'est fortement investie par la signature d'un accord de partenariat. Casino, dont les dirigeants estiment que l'art contemporain est un véhicule d'images jeune et positif, a fait un apport financier conséquent. Il permettra, outre l'organisation d'expositions significatives, d'acquérir des œuvres notables et représentatives.
Saint-Etienne flamboie sous l'art contemporain, elle en est capitale et gardienne.

Sammlung

Ständig ergänzt und bereichert, stellt die Sammlung des 20. Jahrhunderts in Saint-Etienne eine der vier grossen französichen Sammlungen moderner Kunst dar.
Sie kennzeichnet sich vor allen Dingen durch eine Reihe von Plastiken und Gemälden aus den 50er und 60er Jahren.
Von Picasso bis Baselitz über Dubuffet, Fautrier, Magnelli, Hélion, Warhol, Stella und Fernand Léger bietet sie dem Besucher ein Überblick über das künstlerische Schaffen unserer Zeit.
In diesem von der Stadt angekurbelten museographischen Abenteuer ist das Mäzenentum von "Casino" besonders hervorzuheben. Die Ladenkette, die ihren Standort in Saint-Etienne hat, hat sich da sehr stark engagiert und einen Partnerschaftsvertrag unterschrieben. Die Firma Casino, deren Manager meinen, dass zeitgenössische Kunst ein junger, positiver Bildträger sei, hat erhebliche Geldmittel zur Verfügung gestellt. Damit ist sowohl die Finanzierung von bedeutenden Ausstellungen als auch der Ankauf von wichtigen, charakteristischen Werken gesichert.
Durch zeitgenössische Kunst erhält die Stadt einen neuen Glanz, ist zugleich Hauptstadt und Hüterin dieser Kunst.

The 20th century Saint-Etien collection, regularly supplemented a enriched, accounts for one of the fo greatest French representations Modern Art.
It is particulary noteworthy for its set paintings and sculptures of the 195 ans 1960s.
From Picasso to Baselitz, mentioning the way Dubuffet, Fautrier, Magne Helion, Warhol, Stella and Ferna Leger, your eyes are offered a f panorama of the artistic creation of o time.
The deed of patronage Casi performed deserves a special menti in this museographic adventure t town embarked upon. The Sair Etienne-based distribution compa highly invested itself with the signing a partnership agreement. The Casi managing staff regard contemporary as an image vehicle wich is young a positive; indeed, Casino brought substantial financial support which v make it possible to acquire, besides t setting-up of significant exhibitior notable and representative creations
The capital and the guardian contemporary art, Saint-Etien radiates with it.

Un Fernand Léger
Trois femmes sur fond rouge

Fernand Léger
Drei Frauen auf rotem Hintergrund

A Fernand Léger composition:
Three women on a background

L'amour du théâtre

Quarante ans de théâtre... C'est le parcours sans ride de la Comédie de Saint-Etienne qui porte, en jeunesse, son âge de plus vieux centre dramatique de France.

A la naissance, un pionnier passionné, Jean Dasté.

L'homme avait beaucoup trop d'amour pour la création, la scène et les planches. Il lui fallait le faire partager aux autres, le transmettre, le porter dans la rue. Il le fit. Il inventa, avant l'heure, la décentralisation en promenant ses mises en scène sur les places étonnées et curieuses de la ville à peine remise des affres de la guerre.

Pas tristes les débuts ! La Comédie vivotait sous les soupentes d'un grenier de l'Ecole des Mines. Mais, la foi sait pousser les murs. La Comédie brûlait de cette foi. Et brillait d'une intelligence évolutive qui lui donna le souffle de traverser les courants et les modes.

Au temps des défricheurs succéda celui du théâtre populaire, puis vinrent les pièces du doute, celles de la nouvelle recherche avant un retour en marche vers la grande époque.

Jean Dasté et ses successeurs ont, sous leurs projecteurs, éclairé mille talents : Delphine Seyrig, Jean-Louis Trintignant, Hubert Deschamps, Patrick Préjean, Graeme Allwrigtht, Gabrielle Lazure, Charles Denner, Jean-Claude Drouot, Bernard Freysson, Anna Prucnal...

A l'heure où la décentralisation s'écrit dans les textes, la Comédie peut revendiquer la belle place à l'endroit réservé aux signatures.

Die Liebe zum Theater

Vierzig Jahre Theater... So einen langen Weg hat die "Comédie de Saint-Etienne", das älteste Schauspielhaus Frankreichs, zurückgelegt und hat dabei von seiner Jugend nichts eingebüsst.

Bei der Gründun ein leidenschaftlicher Pionier, Jean Dasté.

Der Mann hatte zuviel Liebe zum Schaffen, zur Bühne, zu den Brettern. Die musste er mit den anderen teilen, sie weitergeben, auf die Strasse tragen. Er tat es. Er erfand die Dezentralisation lange vor den anderen und bot einem neugierigen und staunenden Publikum seine Inszenierungen dar, mal auf dem einen, mal auf dem anderen Platz der Stadt, die sich kaum von den Schrecken des Krieges erholt hatte.

Die Anfänge waren alles andere als langweilig. Die Comédie lebte mehr schlecht als recht auf Bodenkammern in der Bergbauhochschule. Aber der Glaube kann Mauern zurückschieben und von dem Feuer dieses Glaubens lebte das Schauspielhaus. Sie war auch von glänzender Entwicklungsfähigkeit und konnte Trends und Moden erfolgreich überstehen.

Auf die Pionierjahre folgte die Zeit des Volkstheaters, dann kamen die Stücke des Zweifels, die des neuen Experimentiertheaters, bevor man sich auf die Blütezeit besann.

Jean Dasté und seine Nachfolger haben im Scheinwerferlicht tausend Talente entdeckt: Delphine Seyrig, Jean-Louis Trintignant, Hubert Deschamps, Patrick Préjean, Graeme Allwright, Gabrielle Lazure, Charles Denner, Jean-Claude Drouot, Bernard Freysson, Anna Prucnal...

Jetzt, wo die Dezentralisation sich in den Gesetzen niederschlägt, kann die Comédie ihren Namen an der angemessenen Stelle eintragen.

The love of theatre

The wrinkleless theatre course which the "Comédie de Saint-Etienne" - the Saint-Etienne theatre company - has completed is now forty-years old. The company carries well, in a youthful manner, its years as the oldest Drama centre in France well.

At the root of it stands a passionate pioneer, Jean Daste.

He loved creation, the stage, and the boards too much to keep it to himself; he had to share it with others, convey it, go down into the streets... and down into the streets he went. He invented, before it became of fashion, decentralisation by taking his theatre productions onto various squares in the town which was hardly recovering from the torments of the war, attended by an audience that was both surprised and keen.

Quite an unusual start, you name it ! The "Comédie" would somehow get along with an attic in the "Ecole des Mines". Faith waltzed through walls, however, and the "Comédie" was fostered by this faith and stood out because of the evolutionary intelligence which gave it the endurance to go through trends and fashions.

After the time of land-clearers came the time of popular theatre, then that of the "pièces du doute" - plays of doubt -, before returning toward the great years.

Jean DASTE and his successors put various instances of talent in the limelight: Delphine Seyrig, Jean-Louis Trintignant, Hubert Deschamps, Patrick Prejean, Graeme Allwright, Gabrielle Lazure, Charles Denner, Jean-Claude Drouot, Bernard Freysson, Anna Prucnal...

At the time when decentralisation is being agreed upon in official texts, the "Comédie" may claim for some credit when it comes to signing these.

La culture a le bon vent

Quand, dans les années 1960, il fut décidé, après de longs débats, de construire une Maison de la Culture et que furent retenus les espaces verts et ouverts d'un jardin dit des Plantes, on imagine volontiers que les réflexions des humoristes du coin fleurirent.
Cela n'empêcha pas la Maison de pousser, de se coiffer d'une étonnante pagode chinoise et de lever son premier rideau en février 1969 sur Porgy and Bess, ses airs chauds et ses chants.
Champ d'accueil pour les spectacles venus d'ailleurs, la Maison de la Culture devenue "... et des loisirs" puis, plus récemment "... et de la Communication", a trouvé, après des hésitations artistiques et des recherches de vocation, sa voie.
Ses voix, car elle s'est engagée à livrets ouverts dans la création lyrique. Opéras, opérettes tiennent le haut d'une affiche également occupée par les concerts, les ballets, le jazz, le théâtre, les conférences, les projections, les expositions. Les enfants ne sont pas oubliés, ils ont leur programme, leur saison.
Quant à l'unité de production vidéo, elle a des audaces qui sont autant de promesses.
Un théatre de 1200 places ; un autre de 330, un troisième de poche avec ses cinquante sièges, des espaces d'exposition, des salles de conférences et de réunions, une bibliothèque, un restaurant, le vaisseau qu'est la Maison de la Culture et de la Communication a pris le bon vent. Il souffle l'avenir, l'assure et l'enrichit.

Die Kultur im Aufwind

Als in den schziger Jahren nach langen Diskussionen der Bau eines Kulturhauses beschlossen wurde und die offenen Grünanlagen des sogenannten Botanischen Gartens zu diesem Zweck reserviert wurden, kann man sich vorstellen, dass es nicht an spitzen Bemerkungen der hiesigen Humoristen fehlte.
Das hinderte das Haus nicht daran, zu wachsen, mit einer erstaunlichen chinesischen Pagode bedeckt zu werden und im Februar 1969 den Vorhang zum ersten Mal zu heben für eine Aufführung von "Porgy and Bess" mit ihren heissen Melodien und ihren Liedern.
Empfangsraum für Gastaufführungen, hat das Kulturhaus, inzwischen auch Haus der Freizeit und neulich Haus der Kommunikation geworden, nach anfänglichem künstlerischen Zaudern und Suchen seine Berufung, seinen Weg gefunden.
Und seine Stimmen, denn es hat sich den lyrischen Schöpfungen zugewandt. Opern, Operetten stehen ganz oben auf dem Programm, wo auch Konzerte, Balettaufführungen, Jazz, Theater, Vorträge, Dia-Vorführungen und Ausstellungen ihren Platz haben. Die Kinder werden dabei nicht vergessen, sie haben ihr Programm, ihre Spielzeit.
Und was die Video-Produktionsabteilung angeht, so wagt sie vielversprechende Dinge.
Ein Theater mit 1200 Plätzen, ein anderes mit 330 Plätzen, ein drittes "Taschentheater" mit fünfzig Sitzen, Ausstellungsräume, Vortrags-und Versammlungssäle, eine Bibliothek, ein Restaurant ; das Schiff, das das Haus der Kultur und Kommunikation darstellt, hat vollen Wind in den Segeln. Er bläst in die Zukunft, sichert sie ab und bereichert sie.

Nature and culture

Culture, cultivation...local humourists had a great deal to pun on when it was decided after lengthy discussions that a "Maison de la Culture" - an arts centre - would be erected and located on the green areas of a garden named "Jardin des Plantes" - Garden of Plants -.
This play on words did not prevent the centre from growing. It is capped with an amazing Chinese-like pagoda. Their first production was "Porgy and Bess", with its warm tunes and its songs.
A land of welcome for external spectacles, the "Maison de la Culture" became two-dimensional in its title - "Maison de la Culture et des Loisirs"- ..."and of leisure activities" - which was more recently replaced by the dimension of "Communication". After some artistic hesitations and various quests for a vocation, the centre finally found its own way, its own register.
"Register" is the adequate phrase indeed, since the "Maison de la Culture" is thoroughly involved in lyric creation. Operas and operettas are regularly billed amidst a programme composed of concerts, ballets, jazz music, lectures, showings and exhibitions. In order not to leave out the younger, a special programme and season have been designed for children.
As regards the video-department, the daring productions which were filmed there are promising signs.
With a 1,200-seat theatre, a 330-seat one, and a 50-seat baby edition, exhibition spaces, lecture and meeting rooms, a library and a restaurant, the "Maison de la Culture et de la Communication" has now turned into the wind...good prospects are in the air; they secure the centre a great destiny and enrich it.

of the green team

"Allez les Verts !" Pendant trois ans, la France entièrement rivée à ses écrans de télévision a chanté le refrain sur l'air des lampions en suivant les exploits européens des footballeurs de l'Association Sportive de Saint-Etienne.
Il faut dire qu'Hitchcock n'aurait pas mieux réglé les choses.
Souvent ballotée loin de son stade-chaudron, l'équipe prenait des ailes sur sa pelouse fétiche et renversait les résultats, même ceux qui paraissaient les plus irréversibles.
Les voilà, en 1974-75, durement étrillés 4 à 1 par les Yougoslaves de Split qui mettent la vapeur au stade Geoffroy-Guichard et gagnent dans une ambiance de folie par cinq buts à un.
Même scénario ou presque contre les Polonais de Ruch Chorzow.
Les voilà, l'année suivante, qui reviennent des neiges de Kiev avec deux buts dans leurs filets. Qu'importe. Au retour, soutenus par toute une ville qui se serre sur les gradins, ils en plantent trois et avalent l'obstacle russe.
Les Hollandais d'Eindhoven vont également à la pêche.
Et arrive le moment suprême, celui de la dernière marche qui conduit au sacre européen.
La coupe n'ira pas jusqu'aux lèvres et, à Glasgow, le Bayern de Munich l'emporte par un maigre but à zéro.

"Grüne, vorwärts... !" Drei Jahre lang sass ganz Frankreich wie gefesselt vor den Fernsehschirmen und sang den Refrain nach der populären Melodie der Lampions, während es den Erfolgen der Fussballer des Sportvereins von Saint-Etienne auf europäischer Ebene folgte.
Man muss sagen, dass sogar Hitchcock es nicht spannender hätte machen können.
Oft weit von ihrem Stadion, einem regelrechten Hexenkessel, entfernt, war die Mannschaft auf ihrem glückbringenden Rasen wie beflügelt und stürzte die Ergebnisse um, auch diejenigen, die als unumstösslich galten.
1974-75, hart geprügelt 4 zu 1 von den Jugoslawen aus Split, setzen sie das Geoffroy-Guichard-Stadion unter Dampf und gewinnen in einer Wahnsinnsatmosphäre fünf zu eins.
Derselbe Verlauf oder fast gegen die Polen von Ruch Chorzow.
Ein Jahr danach bringen sie aus dem verschneiten Kiew zwei Tore in ihren Netzen mit. Was macht das schon ? Im Rückspiel, von der ganzen Stadt unterstützt, die sich auf den Stadionbänken drängte, schiessen sie drei Tore und verschlingen die russische Hürde.
Auch die Holländer von Eindhoven gingen baden.
Und dann kommt der Höhepunkt, die letzte Stufe, die zur Europaweihe führt.
Der Pokal ging nicht bis zu den Lippen und in Glasgow siegte Bayern-München mit einem knappen eins zu

"Allez les Verts !" Come on !... Fren people, glued to their television s singing this line, had been following feats of the football-players of "Association Sportive de Sai Etienne" - A.S.S.E. - in Europe for th years.
It must be acknowledged that Hitchco himself would not have written a bet screenplay for this epic...
Whereas the team was often difficulty when away from the ho stadium, playing on their mascot-pi lent them wings and they would reve both the situation and the score, eve everything seemed irreversible.
This is what happened in 1974/ when the team seemed trounced wit 4-to-1 score for the Yugoslavian tear Split: they finally went full steam ahe in the Geoffroy-Guichard Stadiu winning the match with a 5-to-1 sc in a rave atmosphere.
The screenplay is about the sa against the Polish team of Ru Chorzow...
On their coming back from snowy K they had two goals in the back of th net... Never mind... The whole towr Saint-Etienne was packed on terraces on the return match to supp their team who scored three goa making light of the Russian obstacl
The Dutch team of Eindhoven met w the same fate later on.
The team came to reach the supre step, the step to the European coronatio

Association Sportive
de Saint-Etienne

Der Sportverein
von Saint-Etienne

The "Association Sportive
de Saint-Etienne"

La ville du sport

Sur tous les terrains, le football se joue règlementairement à onze. Sauf à Saint-Etienne où il se pratique à douze. L'homme en plus étant le public.
Il a tout connu ce public, tout vu. Les ivresses des coupes européennes où, bon enfant turbulent et délirant sous le vert, il s'identifiait à son équipe, en partageait les triomphes. Il a plongé dans les abysses anonymes des divisions inférieures. Il a chanté les exploits, pleuré les revers. Il a ramassé les lauriers et reçu les douches froides.
Il est, suivant l'expression consacrée "soupe au lait", c'est à dire prêt et prompt aux élans. Il tempête quand ses favoris se nouent les crampons, rugit, siffle, hurle, mais sait intuitivement se reprendre à tous les bons tournants.
Alors, une grande et commune voix s'élève dans le stade et l'emplit "Qui c'est les plus forts ? Evidemment, c'est les Verts".
A Saint-Etienne, le foot est institution. Il a marqué la ville en la sortant de l'ombre et en la mettant aux regards de l'Europe sportive. La population y a vu comme une revanche sur les jours difficiles. Le club a réuni et fait naître une fameuse fidélité.
Ville du football, Saint-Etienne est aussi ville de tous les sports et pépinière de champions.

Die Sportstadt

Auf allen Spielplätzen gibt es vorschriftsmässig elf Fussballspieler. Mit Ausnahme von Saint-Etienne, denn da spielt man zu zwölft. Der zwölfte Mann ist das Publikum.
Dieses Publikum hat allerhand erlebt. Den Rausch der Europapokale, wo es sich gutmütig ausgelassen, siegestrunken unter der grünen Fahne mit seiner Mannschaft identifizierte und deren Siege teilte. Es hat den Abstieg in die anonymen Abgründe der unteren Ligen mitgemacht. Es hat die Leistungen bejubelt, die Rückschläge beweint. Es hat den Lorbeer gesammelt und auch kalte Duschen über sich ergehen lassen müssen.
Es hat ein leidenschaftliches Temperament, das heisst, es braust leicht auf. Es tobt, wenn seine Lieblinge ungeschickt spielen, brüllt, pfeifft, heult aber es hat ein Gespür für den Moment, wo man sich beherrschen muss, wenn sich alles zum Guten wendet.
Dann erhebt sich eine einzige starke Stimme im Stadion und erfüllt es mit dem Gesang : "Wer sind die Stärksten ? Natürlich die Grünen".
In Saint-Etienne ist der Fussball eine Institution. Er hat die Stadt geprägt, indem er sie aus der Anonymität geholt hat und dem ganzen sportlichen Europa bekannt gemacht hat. Die Bevölkerung hat darin so etwas wie einen Ausgleich für die schweren Tage gesehen. Der Club hat eine sprichwörtliche Anhänglichkeit hervorgerufen.

The sports town

A football team is composed of elev players on regular pitches but Sair Etienne is an exception in this respe since there are twelve players: t audience of supporters is the twel player.
The audience went through everythir saw everything: the exhilaration of t European Cups in which, like turbule children delirious with joy, th identified with their team, sported t green colour of the club, and shar triumphs. With the team, they we down the abysmal anonymities inferior divisions. They sang of t team's feats, cried over their setbac They collected the laurels and endur anticlimaxes.
As one might say, they "fly off t handle easily", that is to say they ha hot blood. They rant and rave when th favourites put their studshoed foot ir it, roar, boo and yell, but manage ir somehow intuitive way to pull ther selves together when the match takes turn for the better...and you can he then a great loud voice arising in unis from the stadium and filling it with t famous line: "Qui c'est les plus forts Evidemment, c'est les Verts" - "Who the best ? The Green Team, of course Football is an institution in Sair Etienne; it brought the town out darkness and caught the eyes of tho keen on sports in Europe, a conside ation the natives of Saint-Etien regarded as a revenge on hard days. T

TELECOM
Casino

urisme

deux roues
a tête des
yclée avec

patiné, une
routes du
Elle porte le
passionné
e.
s saison, il
es environs
0, il a son
blique et sa

tration, en

manche de
0 à partir à
de tous les
tions, car
ictoire sur
ne compé-
rencontre
mours par-

75 mètres
n herbe, la
t les vieux

Das Fest der Radwanderer

Manufrance, Mercier... Die Radfahrer aus Saint-Etienne gehörten oft zur Spitzengruppe. Die Aktivität hat sich mit wechselndem Glück umgestellt.

Wenn auch die Industrie einigermassen ins Schleudern geriet, so hat eine Veranstaltung die Strassen der Zeit überdauert. Der Velocio-Tag. Er trägt den Spitznamen, den man dem leidenschaftlichen Radwanderer Paul de Vivie gab.

Tag für Tag, Jahr für Jahr radelte er die Berge hinauf, die die Stadt umgeben. 1930 verstorben, hat er sein Denkmal am Republik-Pass und seinen Tag.

Hier ist die höchste Dichte von Radwanderern in Europa.

Jedes Jahr nehmerh als 4000 Radfahrer den Berg in Angriff. Sie gehören zu allen Alters-und sozialen Klassen, denn das Rennen ist vor allem ein Sieg über sich selbst. Es ist kein sportlicher Kampf, sondern ein Freunschaftstreffen aller, die die Liebe zu dem gleichen Sport teilen.

Auf zwölf Kilometer Länge und 575 Meter Höhenunterschied überholen die künftigen Meister, den Kopf auf dem Lenker, die Veteranen. Von 7 bis 77 Jahre...

The celebration of cyclotourism

Manufrance, Mercier...the Sain
Etienne bicycles kept up with th
leading riders, but the re-deployment
the activity enjoyed varying fortunes.
Although the industry slipped a bit
public meeting went through the path
of time, the "Journée Vélocio", an eve
bearing the nickname of a "bik
addict", Paul de Vivie.
Day after day, season after season, h
used to climb up the mountains su
rounding the town. He died in 1930 ar
a monument commemorates this figu
at the pass "Col de la République".
His day, the "Journée Velocio", is
memorial as well, gathering the large
number of cyclotourists in Europe.
There are over 4,000 of them strugglin
up the slopes every year on the fir
Sunday in July. The age and fitness
the intrants are indifferent because it
more a ramble where you meet peop
with the same bent for this sport than
sports competition. The only val
victory is the one over yourself.
The circuit is 7.5-mile long and rise
from 1916 ft. Young riders with th
makings of champions overtake o
stagers... just any age.

A pied !

Les stéphanois ont emprunté aux Méridionaux un sens de l'hospitalité et une chaleur humaine qui surprennent tous les nouveaux arrivés. Les coeurs ne sont pas gris et savent prendre les couleurs chaudes de la rue quand elle s'éveille au printemps.

L'animation pare les quartiers réservés aux piétons, les parasols s'ouvrent comme fleurs aux premiers soleils. Les rues ont tous les parfums. Pavées sous les pas, elles font sentiers entre des haies de petits restaurants où mijotent les spécialités venues d'ailleurs. Le rouleau de printemps oriental s'enroule sous des feuilles de menthe fraîche et le saké met le feu aux gorges.

Les bonheurs se trouvent aussi aux cimaises des galeries de peinture qui accrochent leurs expositions et mettent l'art d'aujourd'hui aux portes de tous les regards.

Rue Saint-Jean, rue de la Ville, rue Pierre Bérard, rue Alsace-Lorraine, rue des Martyrs-de-Vingré...

Toutes invitent à la flânerie et aux curiosités. La mode y défile dans les vitrines. La vie y court, mais le temps sait y faire étape.

Zu Fuss

Die Einwohner von Saint-Etienne haben mit den Südfranzosen die Gastfreundlichkeit und menschliche Wärme gemeinsam, die alle Neuankömmlinge überraschen. Die Herzen sind begeisterungsfähig und wissen, die warmen Farben der im Frühjahr erwachenden Strasse zu geniessen.

In den Fussgängerzonen herrscht reger Betrieb, die soeben aufgespannten Sonnenschirme muten wie Blumen in der Frühlingssonne an. Die Strassen verbreiten vielfältige Düfte. Da schreitet der Fussgänger übers Pflaster, meint, er wäre auf Pfaden unterwegs zwischen den beiderseits liegenden kleinen Restaurants, wo fremdländische Spezialitäten liebevoll zubereitet werden. Die vietnamesische Frühlingsrolle wird in frische Minzblätter eingewickelt und der Sake brennt in den Kehlen.

Andere laben sich an den besten Gemälden der Kunstgalerien, die Gegenwartskunst allen zugänglich machen.

Saint-Jean-Strasse, Strasse de la Ville, Pierre-Bérard-Strasse, Elsass-Lothringen-Strasse, Martyrs-de-Vingré-Strasse...

Alle laden zum Schaufensterbummeln ein. Die Mode wird hier vorgeführt. Das etwas hektische Leben vermag hier Pausen ein zulegen.

On foot

The inhabitants of Saint-Etienne took from the people of the South the warm and hospitable manners which seem so noteworthy to newcomers. Their hearts are not sullen and grey, they are able to become as colourful as the street coming to life again in the spring light.

Pedestrian precincts are bedecked with liveliness, sunshades blossoming in the first sunrays. You find every scent in the cobbled streets, which form a path between the hedges of the little restaurants where exotic specialities are simmering. The Eastern spring roll is rolled in spearmint leaves and the sake is hot in the throats.

Art galleries hanging on exhibitions and putting art of our days in full sight of everyone can also provide touches of happiness.

Rue Saint-Jean, rue de la Ville, rue Pierre Bérard, rue Alsace-Lorraine, rue des Martyrs-de-Vingré...

All streets are incitations to sauntering and to curiosity. Fashion is being displayed in the shopwindows, life flows, but time makes a pause here.

ROQUINERIE
PIZZERIA
AROQUINIER
2000
ANCES
GNON

ıante des

·s larmes.
›arasol et
ȝ.
bitume, y
ue je noie
ɜrses qui

et sous le

ˇoi, fille, tu

ıtendre.
se mais je
sais, les
des senti-
›ien tout.
'eau.
dront, ils
ure plus.

rdi.

de poésie
plus ani-
›ruit.
brouhaha
rencontré

Ich aber bin Brunnen und mein Gesang rieselt herunter.
Du bist Mädchen und deine Tränen ergiessen sich.
Mein Geriesel ist wie Regen oder Sonnenschirm, ähnlich wie Blumengarben.
Deine Tränen fallen auf den Asphalt, die erbärmlichen Tropfen rinnen herab und gehen völlig in meinen singenden Schauern unter.
Du sitzt bedrückt auf einem Stuhl.
Ich, Brunnen, bin frohgemut. Du Mädchen bist einsam.
Bleiben wir beisammen, wir müssen uns einig werden.
Ich bin Brunnen und frohlocke, ich kann aber nicht denken. Aus Brunnen erwachsen die Gefühle der anderen, weiter nichts, weisst du.
Du bist jung, ich aber bin so alt wie das Wasser.
Die Menschen drehen mir nach Gutdünken das Wasser ab.
Weine doch nicht mehr und sing mit.
Was denn ? "Am klaren Brunnen", natürlich.

Eine Stadt hat immer, trotz Lärm und Betriebsamkeit, ihre lyrischen Winkel.
Und im Verkehrsrummel ist am Jean-Jaurès-Platz ein einsames Mädchen einem Brunnen begegnet.

at the fountain

As for me, I am a fountain singing
rains.
As for you, you are a maiden and yo
weep and sweep your tears.
My rains serve as an umbrella, a sur
shade blossoming like sprays.
As for you, your tears fall on the aspha
laying down pitiable drops which I floc
under the water of my twitterir
showers.
You are sitting on a chair and bendir
under your sorrow.
As for me, a fountain, I am in a festiv
mood. As for you, maiden, you are in
lonesome one.
Let us remain together, we are a goc
match.
I am a fountain, I am jubilant but cann
think. You know well that feelinç
spring from us, fountains, but that is a
You are young, I am as old as water.
When men decide to, they shall dry m
up... Wipe your tears and sing a sor
with me. Which one ? Well, "A la clai
fontaine", of course !

A town always keeps some shots
poetry, even in the most lively places,
the noisiest ones.
On the Place Jean-Jaurès, in the din
traffic, a lone some maide
encountered a fountain.

a ses rythmes. Certaines
affairent, se précipitent,
brassent tous les vents.
ıns s'y voir. On s'y heurte
ıdre bonjour échangé au
autres s'adonnent à la
ent les pieds, bayent aux

e fait miroir de l'équilibre et
e. Ruche à certaines heu-
, à d'autres, prendre son
stant du déjeuner, contrai-
plupart des grandes villes,
rangement. La circulation
rues respirent. Chacun
souffle.
te encore chaude sous le
que la vie en province est,
plie...

Jede Stadt hat ihren Rhythmus. Manche geraten leicht in Panik, sind geschäftig, überstürzen sich, erhitzen sich, wirbeln herum.

Man hetzt dort, ohne sich zu sehen. Man stösst einander an, ohne sich beim Vorbeigehen zu grüssen. Andere halten ein Mittagsschläfchen, lassen langsam gehen, dösen vor sich hin.

Saint-Etienne spiegelt das Gleichgewicht und die Harmonie wider. Wie ein Bienenstock zu manchen Stunden, weiss es in einem anderen Augenblick sich Zeit zu nehmen. Im Gegensatz zu den meisten Grosstädten wird es merkwürdigerweise in der Mittagszeit menschenleer. Der Verkehr erlahmt. Die Strassen atmen auf. Jeder kommt wieder zu sich.

Und, die warme Baguette unter dem Arm, sagt man sich, dass das Leben in der Provinz doch schön ist...

Each city has its own tempos: some a
thrown into a turmoil, bustling abo
hurrying and embracing hot air.
In these cities people rush witho
seeing each other. You come acro
people without picking them out
talking to them. In other cities, peop
indulge into afternoon naps, ha
about, stand and gawp.
Saint-Etienne is the reflection
balance and harmony. It is a beehive
certain hours, and it is able at oth
hours to take its time. At lunchtim
unlike most great cities, it is surprising
empty. Traffic comes to a standstill. T
streets have a break. Everybody ge
breath.
With a "baguette" loaf of bread s
warm under your arm, you thi
provincial life has its charm indeed...

maison

Le second souffle de la sarbacane

Comme partout, le bistrot est resté le lieu de tous les rendez-vous, de toutes les conversations, de toutes les rencontres.
Chaque café a son style et son goût. Gin-fizz ou blanc limonade. Bourbon ou panaché.
Sous les lumières et dans le skaï, le juke-box avale les pièces et rend la monnaie avec des rythmes.
Ailleurs, à la sortie des bureaux et des usines, on jette, entre deux tournées d'anis, les dés sur les pistes vertes. On tape un carton en jouant une belote particulière. La "coinche". Elle mêle la science mathématique du bridge et les hasards du jeu traditionnel. Ailleurs encore, les boules de billard roulent à la recherche de carambolages victorieux.
Dans les amicales, la boule est reine. Mais, la sarbacane qui, à une époque, faisait gonfler les poumons comme des soufflets, prend du plomb dans l'aile. La sarbacane ? C'est un long tube d'un mètre soixante, et d'un diamètre de dix millimètres environ. On y introduit des fléchettes, on prend sa respiration et on souffle par une des extrémités retrécie pour permettre l'adaptation des lèvres du tireur.
On souffle tout en visant une cible de quatre centimètres de diamètre placée à une distance de huit mètres. Les joueurs qui ont droit à seize fléchettes s'appellent les "baveux". Sans doute parce que leur salive humecte l'embouchure de la sarbacane.

Das Pusterohr kommt wieder zu Atem

Wie überall ist die Kneipe der Ort geblieben, wo man sich verabredet, miteinander spricht, sich trifft.
Jede Wirtschaft hat ihren Stil und ihren Geschmack. Gin-Fizz oder Gespritzter, Bourbon oder Potsdamer.
Unter den Lampen und auf dem Skaï verschlingt die Musikbox die Münzen und gibt Rhythmus heraus.
Andereorts spielt man nach Feierabend zwischen zwei Runden verschiedene Würfelspiele. Man spielt Karten, eine Variante der "Belote". Die "Coinche". Dort vermischen sich die mathematische Exaktheit des Bridge und der Zufall des traditionellen Spiels. Anderswo noch rollen die Billardkugeln auf der Suche nach siegreichen Zusammenstössen.
In den Vereinen ist die Bocciakugel die Königin. Aber die "Sarbacane" (Pusterohr), die ihrerzeit die Lungen wie ein Blasebalg anschwellen liess, ist fast in Vergessenheit geraten. Die Sarbacane ? Es ist ein etwa ein Meter sechzig langes Rohr von etwa zehn Millimeter Durchmesser. Man steckt kleine Pfeile hinein, atmet tief ein und bläst durch ein Ende, das verengt ist, um sich den Lippen des Bläsers anzupassen.
Man bläst und zielt auf eine Zielscheibe von etwa vier Zentimeter Durchmesser, die etwa acht Meter enfernt ist. Die Spieler, denen sechzehn Pfeile zustehen, heissen "Sabberer". Vermutlich, weil ihr Speichel die Offnung des Rohrs befeuchtet.

Pay the blowpipe

The pub - the "bistrot" or the "café" in French - is, like everywhere else, the meeting point for human relations.
Each café has its own style, its own taste: Gin-fizz or "blanc limonade", Whisky or shandy.
The juke-box ingests coins and gives the change in tunes and songs, it stands in an atmosphere made of lights and leatherette furniture.
In other places, people throw dice on a green cloth when factories and offices come out, friends stand each other rounds, play cards, especially the belote game, in the peculiar version called the "coinche", which combines the mathematical aspect of bridge and the whims of fate of the traditional game.
In other cafés still, billiard balls roll along seeking victorious cannons.
Ball associations are still popular, but the blowpipe game which used to cause lungs to swell like bellows is losing ground. The blowpipe - or "sarbacane" -is a 1.75 yard long pipe with a 0.4 inches wide diameter. You insert some kind of dart in it, take a deep breath and blow it forth through one end of the pipe which is purposely coniform to adjust to the lips of the player.
You blow it forth while you aim at a 1.5 inches wide target set at an 8.75 yards distance. The players entitled to throwing sixteen darts are called "baveux" - dribbling -, probably because their saliva moistens the end of the blowpipe.

FÊTE DU SPORT

L'eau à la bouche

Sur les tablettes des traditions gourmandes, la chocolaterie. Elle comporte une dizaine de fabriques qui assurent environ dix pour cent de la production nationale.
Cette activité est implantée depuis la fin du 17ème siècle puisque la première maison française de chocolat, Escoffier, fut fondée à cette époque à quelques kilomètres de Saint-Etienne, à la Fouillouse.
Présent sur toutes les tables de cette époque, le chocolat l'était aussi dans les armoires à pharmacie, car on lui prêtait la propriété de guérir... la rougeole.
Fleuron de luxe de cette activité chocolatière : la maison Weiss. Fondée au XIXème siècle, elle vend aujourd'hui des produits fins et personnalisés dans trois magasins principaux à Saint-Etienne bien sûr, mais également à Lyon et à Paris.
En reconnaissance de ses succulences, Weiss a reçu, en 1985, le diplôme européen du Prestige. L'eau à la bouche...

Etwas für Schlemmer

Im Register der kulinarischen Traditionen die Schokoladenherstellung. Sie zählt etwa zehn Fabriken, die ungefähr zehn Prozent der Inlandsproduktion liefern.
Dieses Gewerbe existiert hier seit Ende des 17. Jahrhunderts, weil die erste französische Schokoladenfirma Escoffier einige Kilometer von Saint-Etienne, in La Fouillouse, in dieser Zeit gegründet wurde.
Damals war die Schokolade nicht nur auf allen Tischen, sondern auch in den Arzneischränken zu finden, da man ihr die Eigenschaft zuschrieb...Masern zu heilen.
Das Kleinod unter den Schokoladenherstellern : die Firma Weiss. Im 19. Jahrhundert gegründet, verkauft sie heute feine Schokoladen mit persönlicher Note in drei Hauptgeschäften, in Saint-Etienne, was selbstverständlich ist, und auch in Lyon und Paris.
Als Anerkennung ihrer Leckereien hat Weiss 1985 die europäische Prestige-Urkunde bekommen. Das Wasser läuft einem im Munde zusammen.

A sweet tooth

Chocolate-making is part of the gourmet traditions here and Sai Etienne has about twelve factor accounting for about 10 % of national production.
The activity started in the late 1 century when the first chocola factory, Escoffier, was founded in the days in "La Fouillouse", a few pac from Saint-Etienne.
Chocolate, an essential part on any go table in these days, could also be fou in medecine cabinets because of reputation for curing...measles.
The finest piece in this activity is "Maison Weiss" which was founded the 19th century. It sells nowadays f and personalised products in three m confectionaries in Saint-Etienne course, but also in Lyon and Paris.
Weiss was awarded the Europe Diploma of Prestige in 1985, as a trib to its succulent productions. A sw tooth...

Le génie sort du fourneau

Pierre, c'est l'apôtre. Gagnaire, c'est le nom d'un vainqueur car, avec les lettres de son nom, on compose le mot gagner.
Pierre Gagnaire, étoile de la nouvelle cuisine et jeune chef largement décoré dans tous les guides touristiques, a vaincu les monotonies des tables, les en a chassées à jamais.
Il a des audaces déroutantes, crée des révolutions émouvantes, profondes et subtiles dans tous les palais.
Il sait faire descendre le ciel dans les assiettes et mettre tous les velours sous les dents.
Prestidigitateur des marmites, il en sort les mariages les plus inattendus, les pare, les fait vivre, les fait aimer.
Sa recette, c'est de ne pas avoir de recettes. Il improvise comme il respire. Pour lui, un plat n'est jamais une faim, mais une recherche perpétuelle. Il retranche, ajoute. Il bouscule toutes les traditions, déroute, enchante, crée jour après jour, heure après heure.
Artificier des papilles, il mélange les saveurs, les parfums, les unit. Il lie les goûts en finesse.
Le décor de son restaurant ressemble à sa cuisine. Les teintes du contemporain s'y heurtent en harmonie.
Pierre Gagnaire. L'adresse est à retenir. Ce n'est pas partout, de nos jours, que le génie sort du fourneau.

Das Genie kommt aus dem Backofen

Peter war ein Apostel, Gagnaire ist der Name eines Siegers, denn mit den Buchstaben seines Namens bildet man das Wort "gagner" (gewinnen).
Pierre Gagnaire, der Star der nouvelle cuisine und junger, in den touristischen Reiseführern reich ausgezeichneter Kochchef, hat die Langeweile auf den Tischen besiegt, sie für immer verbannt.
Er wagt erstaunliche, revolutionäre Dinge, verschafft allen Gaumen ergreifende, tiefe und subtile Vergnügen.
Er weiss den himmlischen Genuss in die Teller herunterzuzaubern und bereitet kösliche Gaumenfreuden.
Zauberer der Kochtöpfe, holt er aus ihnen die überraschendsten Verbindungen, richtet sie an, lässt sie leben und geschätzt werden.
Sein Rezept ist, eben keine Rezepte zu haben. Er improvisiert so natürlich, wie er atmet. Ein Gericht ist für ihn nicht da, um den Hunger zu stillen, sondern eine ewige Suche. Er nimmt etwas heraus, fügt etwas hinzu. Er wirft alle Traditionen durcheinander, verwirrt, entzückt, schafft Tag für Tag, Stunde für Stunde.
Kunstfeuerwerker der Geschmacksnerven, er vermischt feinfühlig die Geschmäcke, die Düfte, vereint sie.
Die Innenausstattung seines Restaurants ist seiner Küche ähnlich. Die zeitgenössischen Farben treffen dort harmonisch aufeinander.
Pierre Gagnaire. Die Adresse soll man sich merken. Es kommt heutzutage nicht überall vor, dass das Genie aus dem Backofen kommt.

The magic cauldron

Pierre - Peter - is the name of the apostle, Gagnaire is the name of a winner because the letters of his surname form the word to win in French.
Pierre Gagnaire, star of the "nouvelle cuisine" and a young chef with numerous decorations in tourist guidebooks, defeated the table routines, banishing them for ever.
His innovations are daring and disconcerting, creates moving, deep and subtle emotions in all palates.
He knows how to draw heaven in your plates and set velvet under your teeth.
He is a real conjurer with cooking-pots, drawing from them the least expected blends, adorns them, brings life into them, makes us love them.
His recipe is, not to have any recipes. He improvises as easily as he breathes. A dish, for him, corresponds to a continual research. He takes away something, adds something. He turns traditions upside down, disconcerts, enchants, creates day after day, hour after hour.
Blending flavours, finely binding them, he is an expert in finding the right taste for the taste buds.
The setting of his restaurant is in the image of his cuisine: harmoniously clashing with contemporary colours.
Pierre GAGNAIRE is a name one needs to imprint on one's memory. Magic cauldrons do not crop up at every corner of the street.

s

s la ville : le
du Peuple.
ul, la tulipe
et le lys.
t à fait un
leurs s'ou-

siècles, la
de la Foyre.
es affinités
sans doute
est morte
tume mais
es.
asis de la
rs a toutes
ms.

Eine Blumenoase

Ein Gewächshaus unter freiem Himmel, mitten in der Stadt: Der Blumenmarkt auf dem Volksplatz. Da begegnet man der Rose und der Gladiole, der Tulpe und der Primel, der Narzisse und der Lilie.

Dass die Blumenpracht sich immer hier entfaltet, ist vielleicht nicht ganz einem Zufall der Geschichte zu verdanken.

Ursprünglich, vor Jahrhunderten, war der Platz nur eine Wiese: der "pré de la Foyre" (Jahrmarktswiese). Märkte wurden hier abgehalten. Die Naturverbundenheit dieses Ortes hat zweifelsohne die Epochen überdauert. Das Gras ist zwar unter mehreren Asphaltschichten verschwunden, aber Gewächse treiben hier immer noch Wurzeln.

Dieser Blumenmarkt, eine kleine grüne Insel, ist eine Farbenoase der Frische und der Düfte.

An oasis of flowers

The flower market on the "Place
Peuple" is like an open-air glasshou
roses and gladiola, tulips and primu
daffodils and lilies grow there.
It is not quite historically fortuitou
flowers have perennially blossom
here...
The square was originally, centur
ago, only a common, the Fair Comm
upon which markets were held. T
remnants of this bond with nature
still tangible today. Grass died squash
under generations of tarmac, but pla
kept their roots in it.
This flower market is like a small isla
of greenery, an oasis of colour, with
same crispness, the same fragrance

PALAIS

through markets

Si un jour, et mille prières profondes pour qu'il ne vienne jamais, les marchés devaient mettre la clé sous leurs bancs, les villes y laisseraient les pans d'humanité qui les tiennent encore debout.
Outre ses seules fonctions commerciales, le marché livre le témoignage de la nature au travail. Il met à l'air libre les fruits de la terre, de la mer et des arbres. Il vit avec les calendriers, ne triche pas avec les saisons, mais en remplit les regards et les paniers.
A Saint-Etienne, on recense près de trente rues et places où des marchés font étals.
Aux quatre coins de la cité, trente oasis qui ouvrent régulièrement leurs tentes et leurs teintes, leurs parfums et leurs bruits du matin.
On ne s'ennuie jamais sur un marché, car c'est dans ses allées encombrées que la relation client-marchand a gardé tous ses accents d'hier. La plaisanterie fleurit encore et la balance fait toujours le bon poids.

Sollten eines Tages, und ich bete zu Gott, dass dieser Tag nie kommt, die Märkte verschwinden, würden die Städte einen Teil von ihrer Menschlichkeit einbüssen, die sie noch aufrechthält.
Neben seiner rein geschäftlichen Funktion zeugt der Markt von der arbeitenden Natur. Er legt Erd-, Meeres- und Baumfrüchte aus. Er lebt nach dem Kalender, mogelt nicht mit den Jahreszeiten, sondern füllt die Körbe und die Blicke.
In Saint-Etienne zählt man rund dreissig Strassen und Plätze, wo Märkte abgehalten werden.
Dreissig Oasen an allen Ecken der Stadt, die regelmässig ihre Zelte aufschlagen, ihre Farben, Düfte und ihren morgendlichen Rummel ausbreiten.
Auf einem Markt langweilt man sich nie, denn in seinen überfüllten Gängen hat die Beziehung Kunde - Kaufmann ihren Charakter von gestern bewahrt. Man scherzt noch gern und die Waage gibt immer gutes Gewicht an.

If a day is ever to come, Heaven forb when markets have to close dov towns would see the last hum buttresses crumble away...
Beyond the commercial function lies t testimony of nature at work. The marl displays the fruit of the earth, of the s and of trees in the open air; the marl keeps up with the calendar, does r cheat with seasons and fills the e and baskets with the freshness of t season.
In Saint-Etienne, the number of mark places and streets amounts to thirty. Thirty oases regularly open their ter their colours, their scents, th morning rumbling in the four corners the town.
A marketplace is never monotono because the seller-customer relati kept its former intensity in the clutter paths, jokes are still on sellers' lips a the scales still have some weightine

verte

...neurs et pour les passe-... siècle dernier, faire bouillir ... familiale n'était pas une ...tidienne. Mais, comme les ...res avaient pour la plupart ... rurales, chacun bêchait ...on lopin de terre. Histoire ...ettre des épinards dans le ... aussi de s'occuper au ... évitant les haltes pro-...éreuses dans les bistrots.
...qu'une distraction devient ...e institution dès 1894, ...uite, le Père Volpette, fit de ...e la première ville de ...er l'expérience des jardins
...te et apporta sur les tables ...uppléments appréciés.
... de ces jardins ouvriers ...dins familiaux demeure ... territoire communal, on ...ques 4000 parcelles. Elles ...tégrante du paysage sté-...sèrent dans les bétons de ...erses associations fédé-...ent la gestion.
...ours de la semaine ou le ...nu, les jardins familiaux ... s'animent, les pioches ...ol et les graines y volent. ...amour, chacun veille sur ...en récolte, non sans fierté, ...lls ont le goût particulier ... aux choses les efforts
...s ont gardé la main verte...

Den grünen Daumen

Für die Bergleute und Bandweber des vergangenen Jahrhunderts war es keine Selbstverständlichkeit, jeden Tag den Kochtopf für die ganze Familie zu füllen. Da aber die meisten vom Lande stammten, grub jeder mit Eifer sein kleines Stück Garten um. Es ging darum, das Alltägliche aufzubessern und sich dabei im Freien zu betätigen, statt durch langes Herumsitzen in den Kneipen das Geld zu vergeuden.
Was nur ein Zeitvertreib war, ist seit 1894 eine richtige Institution geworden, seit ein Jesuit, der Pater Volpette, aus Saint-Etienne die erste Stadt in Frankreich machte, die das Experiment der Schrebergärten versuchte.
Es war ein Erfolg und es brachte eine etwas reichlichere Kost auf die hiesigen Tische.
Diese Arbeitergärten, Familiengärten geworden, bestehen weiterhin in grosser Zahl. Auf dem Stadtgelände zählt man 4000 Parzellen. Sie sind von der Landschaft von Saint-Etienne nicht wegzudenken, integrieren sich in den Beton der Wohnhäuser. Sie werden von verschiedenen, in einem Bund zusammengeschlossenen Vereinen verwaltet.
Abends in der Woche oder am Sonntag öffnen sich die Familiengärten und beleben sich, Hacken lockern die Erde auf und die Samen fliegen durch die Luft. Liebevoll wacht jeder über seinen Garten und erntet nicht ohne Stolz die Erzeugnisse davon. Sie haben den besonderen Geschmack, den die individuelle Anstrengung ihnen verleiht.
Die Einwohner von Saint-Etienne haben immer noch den grünen Daumen.

The green fingers

Cooking the family pot was not a dai... occurence for miners and habe... dashers, but most of them had a countr... origin and dug vigourously their plots o... land, their little acre. Spending the... leisure time in these gardens fulfilled ... double purpose: growing vegetable... and fruit for table, of course, but als... avoiding prolonged and expensiv... pauses in cafés.
What had been a mere distractio... turned into a real institution in 189... when Father Volpette, a jesuit, mad... Saint-Etienne the first town to carry ou... the experiment of workers' gardens.
The experiment was a success an... brought appreciated extras on loc... tables.
The existence of these workers... gardens, now called "family gardens... remains important. The district boroug... cadastre shows about 4,000 parcel... They are an integral part of the Sain... Etienne landscape and patch among th... concrete blocks of flats. Variou... federate associations ensure th... management of these gardens.
In the evenings of weekdays or o... Sundays the family gardens becom... livily, picks turn the earth over an... seeds are sown. Everyone attends to h... garden with loving care, gathering i... with a touch of pride the produce. Thes... produce have the particular taste of th... fruit of personal of orts.
The natives of Saint-Etienne kept gree... fingers...

…sions

…rc du Pilat,
…nour.
…rêts, ses
…paradis de
… un quart
… urbain, il
… cueille le
… y pêche la
… y marche
…ers qui se
…u éclatent

Das Ausflugsparadies

Die Einwohner von Saint-Etienne und den Pilat-Naturpark verbindet seit langem eine Liebesgeschichte.
Mit seinen Pfaden, seinen Wäldern, seinen Hängen und seinem Ginster ist er das Paradies für alle Ausflügler. Eine Viertelstunde vom Stadtzentrum entfernt, lädt er zum Wandern ein. Man sammelt doch Birken-und Steinpilze sowie Blaubeeren. In klarem Wasser fängt man dort die Forelle. Man wandert dort die endlosen Pfade entlang, die sich

The heaven of escapes

There is a long love story between t… inhabitants of Saint-Etienne and t… "Parc du Pilat".
It is the heaven of escapes with … paths, its forests, its slopes, its broo… plants. Only a quarter-of-an-hour aw… from the town centre, the park is … invitation to walks. You pick vario… kinds of edible boleti and bilberries. Y… go trout-fishing in quick waters. Y… walk along endless footpaths which a… swallowed up in thick woods or shi…

Deux sommets : le Crêt de la Perdrix et le Crêt de l'Oeillon (1370) dont les flancs herbeux s'hérissent de "chirats". Curieux amas de blocs granitiques aux formes surprenantes. Du Crêt de l'Oeillon, la vue est sans fin, la Vallée du Rhône, les Alpes, le Ventoux...

in dem dichten Wald verlieren oder in helle Lichtungen münden.
Zwei Gipfel : der "Crêt de la Perdrix" und der "Crêt de l'Oeillon" (1370), auf deren mit Gras bewachsenen Hängen sich "chirats" aufrichten. Merkwürdig aufgestapelte Granitblöcke von seltsamer Gestalt. Vom Crêt de l'Oeillon aus ist die Aussicht unbegrenzt auf das Rhonetal, die Alpen, den Ventoux...

forth in clearings.
Two summits top the park: the "Crêt de la Perdrix" and the "Crêt de l'Oeillon" with grassy flanks bristling with "chirats" - strangely shaped granitic pileups. From the "Crêt de l'Oeillon" you perceive a boundless panorama: the Rhône Valley, the Alps, the Ventoux...

La vie d'un Parc

La légende affirme que le mot Pilat aurait trouvé son origine dans "Ponce-Pilate". Ce n'est pas vérifié ni vérifiable, mais, de toute manière, pas question de se laver les mains devant les hivers qui s'étendent ici. Il vaut mieux porter des moufles de laine chaude.

Durs, âpres, rigoureux et vigoureux, profonds, ils cachent de blanc les landes, glacent les lacs de barrage, dressent des congères.

Mais le Pilat n'est plus une terre froide. Parc Naturel Régional, il conduit, action sur action, pour animer et préserver son environnement, promouvoir ses produits, faire découvrir ses horizons.

Des pistes de ski ont été balisées et sillonnent les sous-bois, des foyers d'accueil ont été ouverts, des classes-nature y viennent respirer, des auberges rurales y font rôtir l'omelette, des relais pédestres offrent le repos aux marcheurs, des soirées culturelles font chanter les villages. Le Parc vit. Il veille sur le respect de ses richesses naturelles, sur son architecture et sur ses équilibres.

L'effort de promotion est double ici. Promotion touristique d'abord, avec de belles éditions, des participations aux foires régionales, l'ouverture de points d'information. Promotion économique avec un label "Produits du Parc Naturel Régional du Pilat" qui reconnaît la qualité des fromages, volailles, saucissons, pigeons, oeufs, fruits, surtout les pommes.

Das Leben des Naturparks

Die Sage behauptet, dass der Name "Pilat" auf "Ponce-Pilate" (Pontius Pilatus) zurückzuführen sei. Es wurde nicht nachgewiesen, ist auch nicht nachweisbar, auf jeden Fall kommt es nicht in Frage, sich vor den hiesigen langen Wintern die Hände zu waschen. Es ist besser, warme wollene Fausthandschuhe zu tragen.

Hart, rauh, streng, kräftig und tief hüllen sie die Heide in weiss, lassen die Stauseen unter Eis erstarren, richten Schneeverwehungen auf.

Aber der Pilat ist keine kalte Landschaft mehr. Der Regionale Naturpark führt eine Aktion nach der anderen durch, um seine Umgebung zu beleben, zu bewahren, seine Produkte bekannt zu machen, seine Horizonte entdecken zu lassen.

Skiloipen wurden angelegt und sie schlängeln sich durch das Unterholz, Skihütten wurden dort eröffnet, Landschulklassen kommen dort, um die Natur zu erleben und frische Luft zu atmen ; Landgaststätten bereiten dort ein gutes Omelett zu, in Rasthütten können die Wanderer sich ausruhen, an Kulturabenden singt man auf den Dörfern. Der Park lebt. Er wacht über die Bewahrung seiner natürlichen Reichtümer, seiner Architektur und seines Gleichgewichts.

Die Bemühungen, die Gegend zu fördern, gehen hier in zwei Richtungen. Touristische Föderung zuerst mit schönen Buchausgaben, mit Teilnahme an den regionalen Messen, Eröffnung von Informationsstellen. Wirtschaftliche Förderung mit dem Gütezeichen "Produkt des Regionalen Naturparks Pilat", das die Qualität von Käse, Geflügel, Wurst, Tauben, Eiern, und Früchten, vor allem Äpfeln auszeichnet.

Life in the Park

The legend has it that word "Pilat" derives from "Ponce-Pilate". This assertion has not been checked out, nor can it be. It is out of question here to wash your hands of the matter, anyway, since winter is harsh, in other words, you had better wear thick woolen gloves.

Harsh, hard, rigourous and vigourous, winters conceal moors under a white layer, freeze damlakes, lift snowdrifts.

The Pilat is not a cold land any more, though. Instituted as Regional Natural Park, the Pilat organizes a whole range of actions to animate and preserve the environment, to promote the produce and to bring people to discover the landscapes.

Ski slopes have been signposted and they cut across the undergrowth now; halls of residence have been opened to accomodate nature class sessions in need of fresh air, country inns roast omelettes, walking inns provide a resting place for walkers, cultural evenings sing in villages. The Park is alive; it is the guardian of its natural riches, of its architecture and its equilibrium.

The promotion effort is a double one here: tourist promotion first, with beautiful publications, the participating in regional fairs, the opening of information offices, economic promotion also, with a label "Product of the Regional Natural Park" acknowledging the quality of cheese, poultry, sausages, pigeons, eggs, fruit, mainly apples.

La terre des fidélités

A l'automne, tous les ors parent le massif du Pilat, se conjugent en palette. L'automne, c'est la saison du souvenir. Il évoque la mémoire de deux hommes. Celle de Gaston Baty, le passionné de théâtre, né à Pélussin en 1885. Metteur en scène, il crée au Cirque d'Hiver et à la Comédie Montaigne. Directeur de théâtre, il conduisit les destinées de la Baraque de Lachimère, du Théâtre Pigalle, du Théâtre de Montparnasse.
En 1985, un Festival lui a été consacré et a remis son oeuvre sous les rampes de l'actualité.
A l'automne, un autre souvenir plane sur les versants. Celui de Louis Bancel. Fils d'un fabricant d'objets religieux, il vit le jour en 1926 à Saint-Julien-Molin-Molette et se préparait à une carrière de mathématicien quand la Résistance l'aimanta dans ses rangs, transforma l'adolescent en homme et l'ingénieur en sculpteur des hommes.
Prix Fénéon en 1952, il réalisa, en 1957, le Monument aux Déportés de Buckenwald au Cimetière du Père Lachaize. Né pour faire vivre les formes, il poursuivit une carrière internationale avant de disparaître, en 1962, en laissant une oeuvre qui lui ressemble, courageuse, humaine, généreuse, sensible.
A Saint-Julien-Molin-Molette, il a désormais sa place. Elle est aussi dans tous les coeurs des gens du Pilat. Et ils ont de la fidélité.

Eine Gegend, an der Man hängt

Im Herbst schmücken alle Goldtöne das Pilat-Massiv und bilden eine reichhaltige Palette. Der Herbst ist die Zeit der Erinnerungen. Er ruft das Andenken an zwei Männer wach.
An Gaston Baty, einen Theaterliebhaber, 1885 in Pélussin geboren. Er wirkt als Theaterregisseur im "Cirque d'hiver" (Winterzirkus) und an der "Comédie-Montaigne". Als Theaterdirektor bestimmte er das Schicksal des Theaters "Baraque de Lachimère", des "Pigalle-Theaters", des "Montparnasse-Theaters".
Im Jahre 1985 wurde ihm ein Festival gewidmet, das sein Werk wieder an das Rampenlicht der Öffentlichkeit brachte.
Im Herbst schwebt die Erinnerung an einen anderen Menschen, Louis Bancel, über den Bergen.
Er kam 1926 in Saint-Julien-Molin-Molette als Sohn eines Devotionalienfabrikanten zur Welt und bereitete sich auf eine Mathematikerlaufbahn, als die Résistance ihn in ihre Reihen anzog, aus dem Halbwüchsigen einen Mann machte und aus dem Ingenieur einen Menschengestalter.
Er erhielt 1952 den Fénéon-Preis und schuf 1957 das Mahnmal für die Deportierten von Buchenwald auf dem Père-Lachaize-Friedhof. Geboren, um Formen zum Leben zu erwecken, setzte er eine internationale Karriere fort. 1962 schloss er für immer die Augen und hinterliess ein Werk, dass ihm ähnlich ist : mutig, menschlich, edel, gefühlvoll.
Von nun an trägt in Saint-Julien-Molin-Molette ein Platz seinen Namen. Er ist auch in den Herzen der treuen Pilat-Menschen lebendig geblieben.

A land of faithfulness

In the autumn, all golden tints of the Pilat Massif combine as if on the palette of a painter. Autumn is the memorial season, a memorial to two men...
Gaston Baty, the theatre fanatic born in Pélussin in 1885, is the first man. As a director, he produced at the Cirque d'Hiver and the Comédie Montaigne in Paris. As a theatre manager, he ruled over the destinies of the Baraque de Lachimère, the Théâtre Pigalle, the Théâtre Montparnasse.
A festival was dedicated to him in 1985, setting his work in the limelight again.
In the autumn, another memory glides over the hillsides... the memory of Louis Bancel.
He was the son of a religious item maker, was born in Saint-Julien-Molin-Molette and was heading for a career as a mathematician when he was taken into the ranks of the Resistance fighting movement, growing into manhood, turning from a career in engineering into one in sculpture.
He was awarded the "Prix Fénéon" in 1952, created in 1957 the Monument to the prisoners of the concentration camp of Buchenwald in the Cemetery of the "Père Lachaise", Paris. Destined to animate forms, he had an international career before disappearing in 1962, leaving behind him a work that resembles him because of its courage, humaneness, generosity and sensitivity.
He found a place in Saint-Julien-Molin-Molette in the form of a memorial but he has one also in the hearts of the People of the Pilat, a faithful people...

Comme une invitation...

Au Nord de la ville, la Plaine du Forez. C'est une aquarelle. Elle en a les langueurs, les tendresses, les infinis, les chaleurs, les douceurs, les appels à rêver, les quiétudes, les sérenités, les uniformités.
Longue, étirée, elle est constellée d'étangs. Plus d'une soixantaine dont la surface totale couvre 1500 hectares.
Terre de chasseurs et de pêcheurs, elle conduit à de merveilleuses et paisibles promenades. Les petites routes se perdent entre les haies et les prairies. Il faut la sillonner mille et une fois pour en saisir les méandres verts du printemps.
Terre d'élevage et de culture, elle a ses richesses naturelles. Les eaux minérales (Badoit) de Saint-Galmier, le vin de pays des Côtes du Forez. Elle a ses trésors monumentaux : les châteaux de Montrond-les-Bains, de Chalain-d'Uzore, de Saint-Marcel-de-Félines, de Sury-le-Comtal et surtout, fleuron du Forez, la Bastie d'Urfé.
Une magnifique demeure construite au XVe siècle, et transformée au XVIe siècle au travers d'une adaptation française de la Renaissance Italienne.
C'est dans ce cadre romantique à souhait qu'Honoré d'Urfé écrivit l'Astrée, premier roman fleuve de la littérature française. Dans les pages de son ouvrage, il donne une définition du Forez qui est devenu la véritable carte d'identité de la région : "Il y a un pays nommé Forez qui, en sa petitesse contient ce qui est le plus rare au reste des Gaules..."

Wie ein Aquarell

Im Norden der Stadt, die Forez-Ebene. Genauso wie ein Aquarell ist sie wehmutsvoll, zärtlich, grenzenlos, warm, sanftmütig, zum Träumen einladend, ruhig, heiter, gleichförmig.
Ein langgezogener, von Teichen durchsetzter Raum. Über sechzig an der Zahl, deren Gesamtfläche 1500 Hektar beträgt.
Diese Jäger-und Anglerlandschaft lädt zu wunderbaren, friedlichen Spaziergängen ein. Die kleinen Strassen verlieren sich zwischen den Hecken und Weiden. Man muss sie tausendundeinmal durchstreifen, bevor man die grünen Mäander des Frühlings wahrnimmt.
Das Viehzucht-und Ackerland hat seine natürlichen Schätze : die Badoit-Mineralquelle in Saint-Galmier, den Landwein der "Côtes du Forez", seine wertvollen Denkmäler : die Burgen von Montrond-les-Bains, Chalain-d'Uzore, Saint-Marcel-de-Félines, Sury-le-Comtal und vor allen Dingen die "Bastie d'Urfé", Prachtstück des Forez. Ein wunderschönes, im 15. Jahrhundert erbautes Schlösschen, das dann im 16. Jahrhundert im Stil der italienischen Renaissance nach französischem Geschmack umgebaut wurde.
In diesem denkbar romantischen Rahmen schrieb Honoré d'Urfé die "Astrée", ersten Schäferroman der französischen Literatur. In diesem Werk schreibt er über den Forez etwas, was die Gegend trefflich kennzeichnet : "Es gibt einen Forez genannten Landstrich...

Like a watercolour

North of the town you come across Forez Plain. This plain is like a wat colour, bearing the same languidne the same tenderness, the same infin the same warm spirits, the sa smoothness, the invitation to dre the serenity, the uniformity.
It is spangled with ponds, amountin about sixty; it outlines a long stretch land, covering a surface of 3, 700 acr
It is a land of hunters and anglers leads to wonderful and peaceful wa Small roads vanish beween hedges meadows... criss-crossing it is nec sary if you wish to grasp the gre meanders of spring.
It is a land of cattle breeding and cul ation, with natural riches: the mine waters of Saint-Galmier - "Badoit wate the "Vin de pays des Côtes du Fore with architectural jewels: the castle Montrond-les-Bains, of Chalain-d'Uzo of Saint-Marcel-de-Félines, of Sury Comtal and above all the "Ba d'Urfé". The latter is a magnific stately mansion built in the 1 century and transformed in the 1 century with the French edition of Italian Renaissance.
In this romantic setting Honoré d'U wrote L'Astrée, the first saga in French literature. He gives a definit of the Forez area in the pages of novel which became the identity car the area: "There is a country nam Forez which, in its smallness, compri that which is the rarest in the res

Le rendez-vous de l'été

Une rose posée sur fjord, voici Saint-Victor sur Loire. Le petit village qui règne sur le lac artificiel de Grangent fait depuis les années 1970, époque où les fusions étaient au goût du jour, partie intégrante de Saint-Etienne. Et cela n'a pas été sans problème juridique parce que les deux communes n'étaient pas limitrophes.

Mais l'affaire s'est réglée au bénéfice des deux parties. Saint-Etienne a trouvé de l'espace, une plage, un port de plaisance, un cadre superbe. Et Saint-Victor a bénéficié du budget de la grande ville pour créer et entretenir ces mêmes équipements touristiques.

Le lac de Grangent qui s'étire sur vingt-cinq kilomètres, est un beau rendez-vous d'été pour les Stéphanois. Il apporte l'air des vacances. Le village de Saint-Victor, solidement planté sur un piton rocheux a un passé qui s'inscrit dans la pierre.

L'église du 11ème a été entièrement restaurée, des ruelles étroites et pavées mènent au château transformé en centre d'accueil où se tiennent expositions, conférences, séminaires, réunions. Un théâtre en plein air reçoit les spectacles.

Il y a de la Provence dans le village et de la Suisse dans le décor. Le mariage a son pittoresque. L'alliance, son originalité. La rencontre, ses charmes.

Sommerliches Treffen

Saint-Victor-sur-Loire ist wie eine Rose an einem Fjord. Das Dorf, das den Stausee von Grangent überragt, ist seit 1970, als Neugliederungen dem Zeitgeist entsprachen, fester Bestandteil von Saint-Etienne. Das ging nicht ohne juristische Probleme, da es sich nicht um zwei aneinandergrenzende Gemeinden handelte.

Aber beide Parteien kamen dabei zu ihrem Recht. Saint-Etienne fiel Raum, ein Strand, ein Freizeithafen, eine wunderbare Lage zu. Aus der Grosstadtkasse bekam Saint-Victor Geld zur Einrichtung und Instandhaltung der touristischen Anlagen.

Der Stausee, der sich über 25 Kilometer erstreckt, ist ein schöner Sommerausflugsort für die Einwohner von Saint-Etienne Ein Hauch von Ferien liegt über dem Ort. Das Dorf Saint-Victor, das hoch oben auf einem spitzen Felsen angelegt ist, hat eine in Stein geritzte Vergangenheit;

Die Kirche aus dem 11. Jahrhundert ist vollkommen restauriert worden, gepflasterte, enge Gassen führen zum Schloss, das umgebaut wurde, um Ausstellungen, Konferenzen, Seminare und Versammlungen aufzunehmen. Es gibt ebenfalls eine Freilichtbühne.

Das Dorf erinnert an die Provence, die Umgebung an die Schweiz. Diese Verbindung hat etwas Malerisches, Einmaliges. Das macht den Reiz eines Besuchs aus.

A summer meeting place

Saint-Victor-sur-Loire is like a rose set on a fjord. The small village reigning over the artificial lake of Grangent has been amalgamated with Saint-Etienne sien 1970, the days when urban amalgamations were the craze, although it created a legal problem since the two communes had no common borders.

The deal was concluded to the benefit of the two parties, Saint-Etienne gaining space, a beach, a marina and a superb landscape, Saint-Victor enjoying the budget of a big city to create and upkeep these tourist facilities.

The lake of Grangent which stretches on 16 miles constitutes a nice meeting place in the summer for the inhabitants of Saint-Etienne. The lake brings the holiday atmosphere. The village of Saint-Victor, steadfastly knocked in a rock crest entails a past engraved on stone.

The llth century church has been entirely restored, the narrow cobbled lanes lead to the castle which has been turned into a hall for exhibitions, lectures, seminars, meetings; an open air theatre has been designed for spectacles.

The village takes after the Provence country and the landscape looks Swiss.. the marriage is picturesque, the blending is original, the meeting is charming.

Une terrasse au-dessus de la ville

Il n'y a plus de seigneur à Rochetaillée. Seul, le vent habite encore le château. Un solide ensemble polygonal posé sur un bloc de quartz et dont les murs lourds et épais ont été rongés par les siècles, frappés par les guerres et grignotés par les saisons. Si bien que le bastion féodal tout en conservant une robuste fierté est la forteresse des courants d'air...
Pas besoin d'être étymologiste ou géographe pour comprendre les origines du lieu.
En soi, Rochetaillée, ça dit tout. Le bourg s'est suspendu à la roche naturelle et brute, au-dessus des vertiges de la vallée profonde du Furan. Il s'est accroché à la pente des pierres, à quelques 775 mètres d'altitude à moitié du chemin entre Saint-Etienne à laquelle il est administrativement rattaché et les hauteurs les plus élevées du Massif du Pilat.
Balcon perché, terrasse au-dessus de la ville, voilà le paradis immédiat pour les évasions.
Restaurants aux menus gourmands et digestions à la carte car les chemins de la promenade s'ouvrent avec une généreuse variété. Vers la Roche-Corbière où une école d'escalade fait le mur ; vers la Grotte aux Fées qui fait effet et effroi. Et surtout vers et autour des barrages du Gouffre d'Enfer et du Pas-du-Riot.
Accueillantes, ombragées, leurs rives ouvrent sur la rêverie.

Eine Terrasse über der Stadt

Es gibt keinen Herrn mehr in Rochetaillée. Nur noch der Wind bewohnt die Burg.
Ein solider, vieleckiger Bau, der sich auf einen Quarzfelsen stützt und dessen schwere und dicke Mauern von den Jahrhunderten zersetzt, von den Kriegen angegriffen und Opfer der Verwitterung wurden. Darum ist die immerhin noch stolze, mittelalterliche Burg eine von Luftzügen heimgesuchte Festung....
Auch Laien können verstehen, wie es zu dieser Burg kam.
Der Name "Rochetaillée" (gehauener Fels) ist an sich eindeutig. Das Dorf hat sich an die rohen Felsen über dem Abgrund des tiefen Furan-Tals geklammert. Es hält sich am Hang in 775 Meter Höhe, auf halbem Weg zwischen Saint-Etienne, dem es angeschlossen ist und den höchsten Gipfeln des Pilat-Massivs.
Ein hochgelegener Balkon, eine Terrasse über der Stadt, ein unmittelbares Paradies für Abwechslungshungrige.
Die Restaurants bieten den Ausflüglern Feinschmeckermenüs und Verdauung à la carte gibt es auf den verschiedenen Wanderwegen. Es geht zum Beispiel zur "Roche-Corbière", einem besonders steilen Felsen, an dem Bergsteiger das Klettern üben; zur Feengrotte, die beeindruckend und beängstigend wirkt; und vor allem zu den Talsperren "Gouffre d'Enfer" (Höllental) und "Pas du Riot".
Die angenehmen, schattigen Ufer der Stauseen laden zum Träumen ein.

A terrasse overlooking the town

There is no lord any more in Rochetaillée, wind is the last inhabitant.
It is a solid polygonal set put up on a quartz block, its heavy walls have been worn away by the passing centuries, hit by wars, eaten away by seasons... all this to such an extent that the feudal bastion, though keeping a robust pride, is the stronghold of draughts.
Rochetaillée - "the hewn rock" -...no need to be an etymologist or a geograph to understand the origins of the place.
In itself, Rochetaillé betrays it all: the village hanging on the raw natural rock, above the dizzy sights of the deep Furan valley. The village clung to the steepy slope of rocks, at a height of about halfway between Saint-Etienne, which it is administratively a part of, and the higher summits of the Pilat.
It is like a perched balcony, a terrace overlooking the town, an immediate heaven for escapes.
Restaurants with gourmet menus, digestions à la carte you find as footpaths which open onto a great variety: towards the Roche-Corbière where a climbing school is jumping the wall, towards the Grotte aux Fées -the Cave of the Fairies- which is delightfully frightening, and especially towards the dams of the Gouffre d'Enfer -the Infernal Abyss- and of the Pas-du-Riot.
Shady and welcoming, their banks are open door to reverie.

Rochetaillée
Rochetaillée

Enlivrez-vous...

Un long samedimanche d'octobre écrit une date chaude sur l'agenda de la vie culturelle. Toute une fin de semaine pour la Fête du Livre. Chaque année, elle ouvre ses pages et, édition après édition, elle prend du volume. Tome après tome, elle donne de la noblesse aux lettres et s'enrichit en devenant de plus en plus populaire.

Née pour être un moment chaleureux autour du livre, elle enflamme la Place de l'Hôtel-de-Ville où des chapiteaux la coiffent et où elle s'entoure d'animations et d'expositions.

Cette fête réunit en communion les plus grands auteurs du temps : romanciers, poètes, nouvellistes, essayistes, historiens, créateurs de bandes dessinées. Elle a été baptisée sous le parrainage de trois plumes ailées du pays : Maurice Denuzière, Charles Exbrayat et Jean Guitton.

La Fête du Livre de Saint-Etienne n'a jamais l'aspect d'un salon conventionnel où le protocole l'emporte sur la fantaisie. Elle est champ libre où le Goncourt d'hier croise celui en devenir, champ où l'auteur local propose ses passions rédigées.

Ecrivains, éditeurs, journalistes en font certes le succès mais il ne serait que succès de prestige si la population n'apportait pas sa spontanéité, son adhésion et sa présence.

De Saint-Etienne d'abord, des communes proches, des départements voisins, des dizaines de milliers de personnes viennent.

Un grand moment, cette fête. Elle est symbole de la capacité d'enthousiasme qui scelle le tempérament stéphanois.

Berauschen sie sich an Büchern

Ein langer Samsonntag im Oktober: den heissen Termin im Kulturleben der Stadt soll man sich merken. Ein ganzes Wochenende für die Buchmesse. Alljärlich schlägt sie ihre Seiten auf und ihr Umfang nimmt mit jeder neuen Auflage zu. Mit jedem neuen Band verhilft sie der Literatur zu mehr Ansehen, wird zugleich reichhaltiger und populärer.

Alles dreht sich in warmer Atmosphäre um das Buch, während Zelte, Ausstellungen und Veranstaltungen den Rathausplatz besetzen.

Die Buchmesse vereint die grössten zeitgenössischen Schriftsteller: Romanschriftsteller, Lyriker, Novellisten, Essayisten, Historiker, Comics-Autoren. Bei der Taufe standen lokale literarische Grössen Paten: Maurice Denuzière, Charles Exbrayat, Jean Guitton.

Die Buchmesse sieht nie wie eine konventionelle Veranstaltung aus, wo das Protokoll wichtiger ist als die Phantasie. Sie ist ein freies Feld, wo der gestrige Goncourt-Preisträger den künftigen trifft, wo der lokale Schriftsteller seine literarisch verarbeiteten Leidenschaften anbietet.

Schriftsteller, Verleger, Journalisten tragen sicherlich zu ihrem Erfolg bei; ohne die Bevölkerung, die spontanen, begeisterten Besucher bliebe es aber bei einem Prestige-Erfolg.

Aus Saint-Etienne selbst, den anliegenden Gemeinden, aus den Nachbardepartements kommen Zehntausende von Besuchern.

Die Buchmesse ist ein wichtiger Moment. Sie symbolisiert die Begeisterungsfähigkeit, die das Temperament der Einwohner von Saint-Etienne kennzeichnet.

In Saint-Etienne's good book

A long October week-end is written down on the timetable of cultural life, a whole week-end for the "Fête du Livre", the Book Festival. It opens its pages every year and, publication after publication, gains in volume. Volume after volume, it gives arts its letters patent of nobility and is enriched by becoming more popular.

It was born to be a hearty celebration time around books, it inflames the Place de l'Hôtel de Ville where big tops cap it, and is surrounded by animations and exhibitions.

This festival gathers the greatest authors of the time: novelists, poets, short story writers, essay writers, historians, comic strip creators and was baptised under the aegis of three famous pens of the region: Maurice Denuziere, Charles Exbrayat and Jean Guitton.

The Book Festival of Saint-Etienne has never taken after a conventional show in wich the etiquette overshadows fancies. It is an open ground whereupon the Goncourt prizewinner of yesterday meets the one-to-be and the local author proposes his written passions.

Writers, publishers, journalists undoubtedly contribute to the success of the Festival, but the success would be merely one of prestige, if it were not fo the contribution of the population: thei spontaneity, their support, thei presence.

From Saint-Etienne first, from the near communes, from the neighbourin counties, thousands of people counte in tens flock in.

This Festival is a great moment, it is th symbol of the capability of flaring up wit enthusiasm which is so typical of th SAINT-ETIENNE nature.

La Fete du livre Die Buchmesse The book festival

Cet album, le premier de la collection CONFLUENT,

dédiée à Philippe LEJEUNE,

a été achevé d'imprimer pour les premières vendanges de 1988

LE 10 SEPTEMBRE 1988

Sur les presses d'INTERGRAPHIE à Saint-Etienne 42000.

La Photocomposition à été réalisée par l'atelier CRC COMPOSITION à Lyon 69003

La Photogravure a été exécutée par SCAN BDP à Saint-Etienne 42000

Le Papier est un Couché Mat Classique de 135 grammes des Papeteries GRILLET et FEAU.

La reliure et le Façonnage sont l'œuvre de la Société SIRC à Marigny le Chatel 10350

La Traduction ALLEMANDE est de André et Maria ROYON

La Traduction ANGLAISE est de Benedicte KLEIN

DÉPOT LEGAL Septembre 1988

N° Impression 2.907608.00.2

N° d'Editeur 2.907608